彩图版李毓佩数学故事系列

数学司令

（彩图版）

李毓佩 著

湖北长江出版集团 湖北少年儿童出版社
HUBEI CHILDREN'S PRESS

目录

数学司令

目录

数学司令

目录

数学司令

SILINGCHUZHENG 司令出征

军队里有炮兵司令、陆军司令、海军司令，你听说过有数学司令吗？哈，没听说过吧！我就来给你讲个数学司令的故事。

数学司令的本名叫牛牛。听，这名字就够牛气的。牛牛是小学生，胖胖的，长着一双机灵的大眼睛。人挺聪明，就是学习不用功，凭小聪明做事。牛牛还有个毛病，当他得意的时候就爱吹牛。前几天学校里举行数学竞赛，牛牛碰巧得了第一名。这下他的那股神气劲儿，就别提了。

牛牛双手举着奖状，在校园里边走边喊："瞧见没有？第一名！谁想学好数学就得跟我走。是我的兵跟我走……"一位同学拦住他问："我们是兵，那你是什么？"

牛牛一拍胸脯："你们是兵，我当然是司令喽。"就这样，"数学司令"的名字就传开了。

七七国王有请

QIQIGUOWANGYOUQING

天刚蒙蒙亮。屋外忽然传来汽车喇叭声，紧接着有人敲门。

“是谁呀？这么早就来敲门。”牛牛揉着惺忪的眼睛，打开门一看，是一名披挂整齐的年轻军官。他向牛牛行了个军礼，然后庄重地说：“司令官阁下，七七国王派我来请您去参加一次紧急会议。”

“七七国王请我参加紧急军事会议？”牛牛弄不明白这是怎么回事。军官一个劲儿地催促起程，牛牛没办法，只好跟着他出门，门口停着一辆汽车。上了汽车，汽车飞快地开走了。

不知开了多长时间，汽车在一座豪华的宫殿前停下了。军官先下车，向宫殿里大声喊道：“数学司令到！”宫殿里立刻钟鼓齐鸣，走出一文一武两行官员，后面跟着一个身穿皇袍、头顶皇冠的胖老头，不用问，他就是七七国王了。

七七国王上前握住牛牛的手说：“司令官阁下，一路

辛苦了，请进。”说着国王就把牛牛领进了宫殿。国王在正中的宝座上坐定，牛牛紧挨着国王坐下，其他官员一律站在两旁。

七七国王首先讲话，他说：“今天能把大名鼎鼎的数学司令请来，真是我们七七王国的莫大荣幸……下面欢迎数学司令讲话。”官员们“噼里啪啦”地使劲鼓掌。

“这个……”牛牛站起来，心里“咚咚”乱跳，声音抖瑟地说：“我不是会打仗的司令官，我是自封的数学司令。我只喜欢数学，对打仗可一窍不通！”

“哈哈，喜欢数学，那太好了！”七七国王高兴地站了起来。

一个留白胡子的大臣夸奖说："你们听，数学司令多谦虚！准是个能征善战的指挥官。"

七七国王庄严地下达命令："我任命数学司令为我们七七王国的司令官，带领 777 名士兵立即出征八八王国，夺回被他们侵占的土地，为捍卫我们七七王国的领土完整而战斗！"下面众大臣齐声高呼："七七国王万岁！"

牛牛心想："这七七、八八的，真绕嘴！"

七七国王又把接牛牛来的年轻军官拉到身边，当众宣布，任命小七军官为新司令的副官。

"没想到，我还有个副官，真够气派！"牛牛心里开始有点得意。

小七副官给牛牛捧来一套将军服，牛牛穿戴好，对着镜子一照，嘿，还真神气！小七副官又给牛牛挎上指挥刀，背上手枪，胸前还挂一架望远镜，呀！这可是真正的司令啊！

牛牛在小七副官的带领下，辞别了国王，挺着胸，迈着大步，直奔军营而去。

新官上任

XINGUANSHANGREN

牛牛走进军营，看见 777 名士兵早就在操场上排成了一列横排，队伍显得老长老长。

牛牛走上指挥台，向下扫了一眼，不满意地说：“排成这么长的队伍，我讲话你们听得见吗？”

小七副官解释说：“司令官阁下，我们只会这一种排法。”

牛牛一挥手说：“不成！让他们排成一个长方形的队列。”

“这 777 名士兵怎样排法呀？”小七副官抓耳挠腮，想不出办法。

牛牛不以为然地说：“嗨，这还不容易。让他们 111 人一排，一共排7排。这是最简单的除法！”

“是。”小七副官赶紧按牛牛的命令，把士兵排好。小七副官小声对牛牛说：“司令官，这队伍是不是还太长，能不能再设法短一些？”

“这好办。”牛牛又下命令，“可以排成 37 人一排，共排21排。”

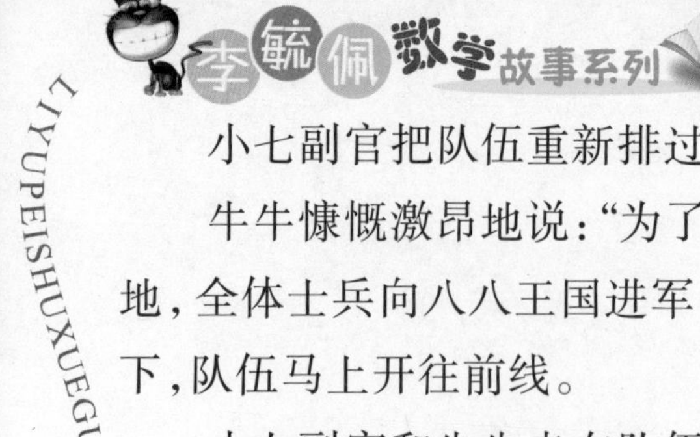

小七副官把队伍重新排过,果然队形显得紧凑了。

牛牛慷慨激昂地说:“为了夺回被八八王国侵占的土地,全体士兵向八八王国进军,立即出发!”牛牛一声令下,队伍马上开往前线。

小七副官和牛牛走在队伍的后面。小七副官说:“司令官,您真伟大!您能一眼看出排成什么样队形,我怎么排不出来呢?”

牛牛得意地说:“这很容易嘛。777 人可以排成七排,是因为 777 这个数可以被 7 整除。你说队伍长,我看出 111 还可以被 3 整除。”

“您怎样看出来的?”

“判断一个数能不能被 3 整除,只要看看这个数的各位数字之和,能不能被 3 整除就可以了。”

小七副官摇摇头说,“不明白。”

牛牛说:“比如 777 这个数,它的个位数、十位数、百位数上的数字都是 7 。把这三个7相加, $7+7+7=21$,这 21 能被 3 整除,因此 777 也可以被 3 整除。”

小七副官又问:“这是什么道理?”

“道理嘛……”这个道理牛牛记得老师上课时讲过,当时回家没复习,现在可记不起来了。牛牛硬着头皮说:“这个道理嘛,很难,我讲出来怕你也听不懂。你会用就成了。”

牛牛怕小七副官再追问下去,赶紧提了个问题。牛牛

问:“这七七王国中的七七,究竟是什么意思?”

小七副官说:“我们国王特别喜欢数字七,建国时就起名叫七七王国。如果写成阿拉伯数字是77,也就是七十七了。国王希望自己能活到七十七岁。”

“真有意思。”牛牛和小七副官加快脚步往前线去。

前线的气氛十分紧张,七七王国和八八王国的军队都挖了战壕,修筑了工事。

小七副官问:“怎样打法?”

“怎样打法?”牛牛心里直犯嘀咕,他哪里会打仗呀!牛牛的军事知识,无非是从电影里看了点;牛牛的战斗经验,无非是和同学玩打仗游戏时学了点,这够用吗?

战场上,777双眼睛都在看着自己,不能再犹豫了。牛牛抽出了战刀向空中一举,大喊一声:“弟兄们,跟我冲!”777名士兵跟在牛牛的后面,一窝蜂似地冲了上去。

八八王国的士兵开枪了,子弹密集地射过来,有几名士兵受伤倒下。小七副官拉住牛牛的后衣襟说:“司令,这样硬冲不成,要研究研究再打。”

SANLUBAOCHAO
三路包抄

牛牛问小七副官:“你看我们怎样打才好?”

小七副官指着八八王国的阵地说:“敌人的正面火力太强，不能从正面硬攻。要把我们的军队分成三股,一股从正面佯攻,另外两部分从左右包抄。”

“好主意!”牛牛拍着小七副官说:“把 777 名士兵平均分成三部分,这是可以分的,每个部分是 259 人。”

“不,不,不能这样分。正面佯攻的人数要少。应该把主要兵力放在左右两部分上。”小七副官毕竟是军人,打仗比牛牛强多了。

牛牛一想也对,就问:“你说说怎样分更

好？”

小七副官想了一下说：“777 个士兵能分成多少份？”

牛牛边想边说：“根据分解质数的方法，777 能分成 7 份，能分成 3 份，还能分成 37 份。”

小七副官好奇地问：“司令，你是怎么知道可以分成这么多份呢？”

一声“司令”叫得牛牛心里挺高兴，他“唰”地拔出了指挥刀，用刀尖在地上写着说：“用短除就能把所有可能分的份数求出来。你看，左边的除数和下面的商数，不正好是 7，3 和 37 嘛！”

$$\begin{array}{r|l} 7 & 777 \\ \hline 3 & 111 \\ \hline & \ \ 37 \end{array}$$

小七副官又问：“为什么除到 37，你就不往下除了呢？”

牛牛说：“37 除了可以被 1 和它本身整除，不能被其他数整除了。像这样的数，数学上叫它为质数或素数。”

“噢，是这么个道理。”小七副官点点头说，“把士兵分成 7 份吧！其中 3 份攻左，3 份攻右，1 份从正面佯攻。”

“左边 333 人，右边 333 人，中间 111 人。”牛司令只管算算数，其他由小七副官来布置。

小七副官先把从左右进攻的士兵派走，再把留下的 111 名士兵分成 37 人一排，一共三排。第一排每个士兵发给一个大喇叭，第二排每个士兵拿枪，第三排每个士兵

手拿一面大旗。牛牛搞不清楚小七副官要干什么?

小七副官拔出战刀,向上一举。第一排士兵拿着大喇叭高喊:“冲啊！冲啊！”接着第二排士兵向八八王国军队开枪射击,第三排士兵挥动手中大旗。喊声、枪声、挥旗声连成一片。

八八王国的军队,把枪口一齐对准这里,猛烈地射击。

牛牛高兴地直拍手:“真好玩！真好玩！小七副官真有两下子。”

小七副官表情严肃,他拿过信号枪向空中“啪、啪、啪”一连打了三颗信号弹。“冲啊！杀啊！”从左右两路杀出两支部队。八八王国军队被这三支部队吓傻了,搞不清来了多少七七王国的军队。八八王国的司令官喊了声:“快撤！”士兵们立刻放弃阵地,抱头就逃。

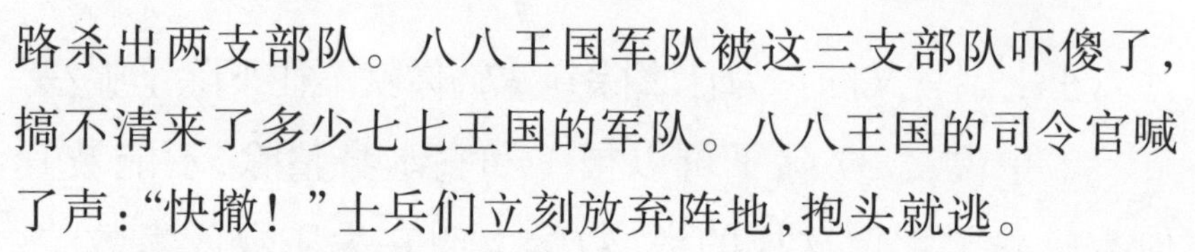

这一仗七七王国获得全胜,士兵们向司令官牛牛欢呼致意,牛牛得意地把头一歪说:“这叫做三路包抄！”

宴会上的难题

YANHUISHANGDENANTI

牛牛打了胜仗，凯旋归来。七七王国倾城出动，城门口搭起漂亮的牌楼，牌楼上写着“欢迎司令官得胜归来”。皇家乐队奏起欢迎曲，“噼里啪啦”的鞭炮声一阵紧似一阵……

七七国王亲自出城迎接。牛牛受到这么多人的欢迎，心里别提多高兴了。他昂首挺胸，左手握住刀柄，迈着正步走进城。

七七国王在王宫举行盛大的宴会，欢迎牛牛，文武百官都来作陪。

七七国王祝酒，他说：“多少年来，八八王国依仗着比我们七七王国大十一，总来欺负我们。仗打了好几次，可总是我们被打败。现在我们有了司令官，总算出了这口气，打了大胜仗！我提议大家为新任司令官干杯！”牛牛哪会喝酒啊！他用汽水装装样子。

喝过一阵子酒，牛牛对国王说：“88 比 77 多 11，这也不是欺负人的理由啊？”

牛牛的这个问题使七七国王有点激动。他站起来说："有一次八八国王给我来了一封信，说一个国家的名字要和这个国家是否富有相一致。八八王国比七七王国不论是在人力上，还是在财力上都要多出一倍来，而现在 88 只比 77 多 11，这很不相称。"

牛牛忍不住问："他们想怎么办呢？"

七七国王围着桌子转了一圈说："八八国王要求我们把 77 减小一点，把减掉的数加在 88 上，使得他们新国名的数字恰恰是我国新国名的数字的两倍。"

"真不讲道理！"牛牛觉得八八国王实在是无理要求。

"对这种无理要求，我当时就回绝了。"七七国王说，"不过，到目前为止，我们也没算出来，八八国王究竟叫我们减少多少数？司令是精通数学的，能不能帮忙算算？这可是个难题呀！"

"当然可以。我马上就算。"说着，牛牛拿出纸和笔趴

在桌子上边写边讲，“八八国王要求把从 77 上减下来的数加到 88 上。不管减掉多少，77 加 88 这个和数是不会变的。”

七七国王一边琢磨一边说：“77 少的正是 88 多的，可是加在一起还是 77 加 88 这个数，对，是这么回事！”

牛牛接着往下讲，“77 加 88 等于 165 。把 165 分成 3 份，他们占其中的 2 份，你们占其中的 1 份。这样一来，他们不就是你们的 2 倍了嘛！一个是 55 ，另一个是 110 。”

七七国王恍然大悟，他用手掌拍了拍前额说：“对、对，把 77 、88 加在一起分成 3 份，一下子就解决了。原来，我们总想把 77 减下的数算出来，可是怎么也算不对。”

小七副官在一旁说：“司令果然才能出众。”

七七国王说：“叫我们改名为五五王国，‘无无’啥也没有，多么不吉利的名字。再说，八八王国改名叫一一零王国，叫起来也不顺口呀！”

正当大家谈得高兴的时候，忽然跑来一个士兵，向七七国王报告说：“八八王国派来了一头巨大的怪兽，专门吞食我们的士兵。”文武百官听了大惊失色。

七七国王对牛牛说：“请司令官带兵前去消灭怪兽！”牛牛两只鞋跟一碰，行了个军礼，大声答道：“是！”

智斗怪兽

ZHIDOUGUAISHOU

牛牛和小七副官带兵出了城。看见怪兽正在追赶人群。这头怪兽长得十分怕人，身体有三层楼高，红色的皮，大头大嘴。

牛牛心里十分害怕，可是一想到自己是司令官，不能在士兵面前表现得懦怯。于是，他咳嗽了两声，装得若无其事的样子说："哪位勇敢的士兵，敢于去和怪兽战斗？"话音刚落，只见"呼啦啦"地站出一大排士兵，争着要去。

牛牛心里很高兴，亲自挑选了11名披挂整齐的士兵，手里拿着上好刺刀的步枪，腰上挂满了手榴弹，一声令下，呐喊着朝怪兽冲去。刹那间"嗒嗒"的枪声，"轰轰"的手榴弹爆炸声混成一片。奇怪的是，一阵硝烟过后，怪兽纹丝未动。突然，怪兽大吼一声连踢带咬，把11名士兵都打跑了。

"好厉害！"牛牛心里更加害怕。小七副官又派出35名士兵，没想到怪兽大嘴一张，把35名士兵又全都吞进了肚里。

牛牛把兵力增加到45名，也被怪兽打败；小七副官再派77名士兵又被怪兽一口吞掉。

牛牛为难了。他挠着脑袋想了半天，突然“噗哧”一声乐了，小七副官莫名其妙地问：“司令，咱们连打败仗，你怎么乐了？”

牛牛笑着说：“你说这事儿多怪呀！我派去的士兵都被打败，你派去的士兵都被吞掉。这个怪兽难道知道是谁派的兵？”

“是有点怪！”小七副官也觉得这件事新鲜。

牛牛低头琢磨了好一阵子，他灵机一动说：“会不会和派出去士兵的数目有关。我先后派出的士兵数是11和45，你派出的士兵数是35和77，这里面会不会有什么学问啊？”

小七副官点点头说：“哎——是值得研究。”

“先研究一下11和45这两个数。11是质数，$45=3\times3\times5$，它含有3、5、9这三个因数。我派出去的士兵它不吃，说明什么呢？”牛牛提出三个问题。

小七副官说：“说明怪兽不吃含有3、5、9、11因数的数。”

“不对，不对。”牛牛摇摇头说，“77也含有因数11呀！它为什么吃掉了呢？”

“这个……”小七副官答不上来了。

牛牛分析说："这只是说明，这些数中含有因数 3 、5 、9 、11 ，不能说明怪兽不吞掉他们的原因。"

小七副官急着问："原因又是什么呢？"

"那只有从 35 和 77 这两个数中去找了。35 = 5 × 7 ，77 = 11 × 7 。"牛牛突然高兴地说，"我找到了！你派的士兵数中都含有 7 的因数。怪兽见到士兵数含有 7 的因数就吞吃。"

"这可怎么办？"小七副官发愁了。

牛牛说："任何东西有所长必有所短，怪兽也一定有它害怕的数目。"

小七副官跺跺脚说："我知道啦！这头怪兽是从八八王国来的，它见到含有因数 7 的数字就吞，说明它是专来对付我七七王国的。"

牛牛一听有理，忙问："你说怎么办？"

小七副官说："怪兽一定害怕含有因数 8 的数字，咱们派出的士兵数让它含有因数 8 ，我想就定能够打败它。"

"试试看。"牛牛立刻派人去向国王求援，要求再增加士兵。不一会援兵到了。牛牛把士兵按人数分成 8 人，88 人，888 人三个战斗队，一齐向怪兽进攻。

8 人小分队为前导，88 人分队为中路，888 人作为压后大军。在鼓乐伴奏下，排成 8 人一排，士兵们平端着枪，迈着整齐的步伐向怪兽冲去。

果然，怪兽被这么多个 8 吓坏了，它转身就逃。"开枪！"牛牛一声令下，无数发枪弹一齐向怪兽射去。突然一声巨响，怪兽的后背炸开了，弹簧、铁钉、电子元件撒了一地。啊！原来怪兽是八八王国制造的机器兽。

牛牛和小七副官拥抱在一起，欢蹦欢跳，别提有多高兴了。

更奇怪的事发生了，从机器怪兽的残骸里，走出 112 名七七王国的士兵。$35+77=112$，这正好是被怪兽吞掉的那 112 名士兵。

牛牛整理好队伍，又一次凯旋而归。

司令出丑

SILINGCHUCHOU

八八国王是不甘心失败的。他特地派了八八王国最聪明的武官小八上尉，来七七王国下战书，顺便探听一下七七王国接连打胜仗的诀窍。

小八上尉人聪明，反应快，数学也很好，八八国王很器重他。这次他接到下战书的任务，立刻骑上一匹枣红马，直奔七七王国而来，他的卫兵骑着一匹白马在后面紧跟。

七七国王亲自召见小八上尉。小八上尉先向七七国王行了一个军礼，双手把战书呈上。七七国王接过战书一看，原来是八八国王约他三天后在两国边境进行一场决战。

七七国王看罢战书，点了点头说："我应战！过去我们七七王国缺少一个司令，无人领兵，结果每战必败。"他站起身来，右手握紧拳头说："现在不同了，我们有新任的牛司令，打一仗胜一仗！"

小八上尉说："我想见见牛司令，可以吗？"

“当然可以。”七七国王说，“难道我会骗你？请牛司令来一下。”士兵赶紧去请牛牛。

不一会，牛牛迈着军人的步伐，“咔、咔”地走进王宫，和小八上尉面对面地端详了好一阵子。

牛牛心想，哪来这么个年轻的军官？

小八上尉很有礼貌地向牛牛行了个军礼，然后一字一顿地说：“尊敬的牛司令，您带兵采用三面包抄的战术，攻占了我方的前沿阵地，说明您很会打仗。”

牛牛得意地点点头说：“嗯，你说得不错。”

小八上尉又说：“您又打败了机器怪兽，说明您的数学不错。”

牛牛头向上一仰说：“嗯，你说得很对。”

小八上尉眼珠一转说：“我有两个问题，想请教司令阁下。”

“有问题你只管说。”牛牛一屁股坐到了椅子上，跷起二郎腿，一副自命不凡的样子。

小八上尉瞟了牛牛一眼说：“这次我和我的卫兵从八八国王的王宫出发，直奔这里。他的马跑得慢，每小时行30公里，而我的马每小时能跑45公里。走出2小时后，我发现忘记带战书了。我又返回八八国王王宫，取回了战书,我和我的卫兵同时到达这里。请问,两座王宫相距多远?”

“这个……”牛牛一听,这个问题挺复杂呀!不过,大话已说出口,只好硬着头皮充好汉。

按理说牛牛很聪明,数学根底也不错,做这题目应该不成问题。可今天不知怎的,也许是小八上尉的几句话把他捧晕了,对着这道题光发愣,就是想不出解法来。

七七国王着急了,在一旁小声催促说:“牛司令,你快点算啊!”

“这就算,这就算。”牛牛一边答应着,一边口算,“你的马1小时能跑45公里,2小时就是90公里。你回王宫拿战书用了2个小时,这2个小时你的卫兵继续往前走,走了$30 \times 2 = 60$公里。”算到这儿,牛牛心里好像有底了。

牛牛接着说:“你和你的卫兵同时到达这里,说明你在整个这段路程中,又追回了相差的60公里。你整段路程所用的时间等于$\frac{120}{45-30} = 4$(小时),这样很容易算出两座王宫的距离$45 \times 4 = 180$(公里)。”说完牛牛身子往后一仰,等着大家拍手叫好。

等了一会儿,一点动静也没有,怎么回事?牛牛往四周一看,大家都瞪着眼睛看着他。小八上尉更是嘴边挂着轻蔑的微笑。

小七副官用手轻轻地推了一下牛牛小声说:“不对,

这段距离不是180公里，应该是360公里。”牛牛仔细一想，是错了！小八上尉走出了2小时又返回，这一来一回应该是4小时才对。如果是4小时，这段距离正好是360公里，咳！我怎么这么粗心哪！

牛牛刚想改正过来，没想到小八上尉已经抢先说话了。小八上尉话里有话，他说：“牛司令不愧为数学司令，硬是把两座王宫的距离缩短一半，佩服，佩服！”几句话说得牛牛面孔通红。

小八上尉又提出一个问题说：“如果三天后我军被贵军打败，逃回国内，牛司令将采取什么军事行动？”

牛牛不假思索，脱口而出：“我将一追到底！”牛牛心想，这次我的回答可够气派吧，没想到从七七国王到小七副官，个个都皱眉摇头。

小八上尉哈哈大笑，点点头说：“牛司令果然才能出众，三天后再见。”说完鞋后跟用力一碰，“咔”的一声。行了个军礼掉头就走。

七七国王对牛牛说：“我说牛司令啊！你怎么能一追到底呢？”

牛牛眨了眨眼睛问：“为什么不能追？”

七七国王说：“‘穷寇莫追’，这是军事常识啊！”牛牛心想，我哪里学过军事呢！

操练军队

CAOLIANJUNDUI

小八上尉离开了七七王国，飞马直奔八八国王王宫。

小八上尉一进王宫就仰面大笑。八八国王问:“什么事情使你这样高兴?”

小八上尉说:“我以为这个牛司令是位什么了不起的人物呢！原来是个大草包。”

“怎么回事?”八八国王还是没弄懂。

小八上尉就把他如何考牛牛的事,说了一遍。在场的文武官员也都哈哈大笑,八八国王都笑出了眼泪。

唯独八八王国的司令官老八将军没笑,他严肃地说:“咱们不要笑得太早,留神上当!”

八八国王擦了把眼泪问:“这是什么意思?”

老八将军说:“牛司令带兵攻占了我们的前沿阵地，又打坏了我们的机器怪兽,这都是事实,不会假吧?怎么能凭两个问题,就说人家是草包呢?”

小八上尉不服气，大声说道："我亲自和他打的交道，我了解的情况一点也不错！牛司令就是一个既不懂军事、又不懂数学的大笨蛋！我看老八将军打了两次败仗，被牛司令吓坏了吧？"

八八国王听了小八的话，也来气了。他大声说："我看老八将军年纪太大，不宜再当司令官了。我现在任命小八上尉为新任司令官，接替老八将军指挥全军！"

话分两头，再说说七七王国。这时七七国王正在王宫里召开紧急会议，商量三天后的大战如何进行。

小七副官说："牛司令答错了两个题目也是好事，可以麻痹敌人。"

"对！"七七国王站起来说，"八八王国如果低估了牛司令的数学才能，他们还要吃败仗。关键是设计出一种新的阵式，叫他们摸不着门儿。"

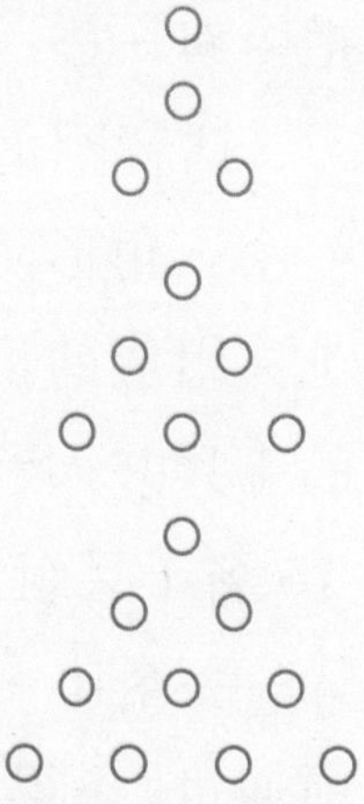

牛牛低头琢磨了半天，突然说："走，咱们到操场上操练军队去！"

操场上搭起了高高的指挥台，七七国王和文武百官在台上坐好，牛牛手拿令旗站在台中央，小七副官在牛牛的右侧站好。台下的士兵排列整齐，刀光闪闪，军旗飘扬。

牛牛把令旗一举，高喊："先操练三角阵，开始！"牛牛一声令下，士兵列队从指挥台前走过。

走在最前面的一个士兵举着战旗，接下去是由3个士兵、6个士兵、10个士兵、15个士兵……组成的一个比一个大的三角形队列。士兵步伐一致，队形整齐，很好看。

七七国王点点头，问牛牛说："这每个三角形的人数有什么规律没有？"

"有啊！"牛牛指着队伍说，"第一个三角形队3个人，比前面举旗的1个人多2个人；第二个三角形队比第一个三角形队多3个人；第三个三角形队又比第二个三角形队多4个人。它们是按着2、3、4、5、6……的规律增加的。"

"有点意思。"七七国王高兴地捋着胡子说，"牛司令真不愧是数学司令，连操练队形都是按照数学规律办。"

七七国王的几句话，说得牛牛心里美滋滋的。牛牛又把令旗一举，大喊："改换成正方形队列。"

话音刚落，只见第一个举旗的士兵，往后一撤并入第一个三角形队，这时三角形队变成由四名士兵组成的正方形队；而第二个三角形队的士兵并入到第三个三角形队，变成为由16名士兵组成的正方形队。

一个比一个大的正方形队列在指挥台前通过，乐得七七国王不断地向士兵们招手。

七七国王问："司令官阁下，怎么两个相邻的三角形队列一合并，就出来一个正方形队列了呢？"

牛牛回答说："刚才的三角形队列中，任意两个相邻的三角形之和，一定能构成一个正方形。"

"有这种事？"七七国王半信半疑。

"我具体写一写，您就清楚了。"牛牛在纸上写出：

$1+3=4=2\times 2$；

$3+6=9=3\times 3$；

$6+10=16=4\times 4$；

$10+15=25=5\times 5$……

"妙！妙！"七七国王连声称妙。

"还有妙的呢！"牛牛令旗一举说，"拆成三角形队列！"每个正方形队列都分离成两个三角形队列。

七七国王说："这种队列分开成三角形，合起来又是正方形。能分能合，进可以攻，退可以守，虚虚实实，真真假假，使敌人捉摸不定，必可取胜。"

文武百官也都竖起大拇指，称赞牛司令这套数学阵式变化莫测，绝妙无比。

捉拿间谍

ZHUONAJIANDIE

牛牛在操场操练军队，引来许多人看热闹。在人群中有一个带着鸭舌帽，瘦瘦的中年人，一边看操练，一边偷偷地在记什么。这一切全被小七副官看在眼里。

牛牛的操练刚刚结束，小七副官站在台上大喊：“观看操练的市民们，请别走。你们当中混进了一个可疑的人！”

“可疑的人？他在哪儿？”“谁是可疑的人？我怎么没看见？”人群一片骚乱。

小七副官急忙跑下指挥台，带鸭舌帽的可疑人已经无影无踪了。

七七国王很重视这件事，他说：“看来这个带鸭舌帽的人，很可能是八八王国派来的间谍。他是来探听我们军事机密的，必须把他捉住。”

“好个特务、间谍，我要亲手把它捉住。”牛牛气得涨红了脸。七七国王当即命令牛牛和小七副官去捉拿间谍。

牛牛对小七副官说：“七七王国这样大，咱们到哪儿

去捉住他呀？”

“嗯……”小七副官想了一下说，“这也不难，我们七七王国的居民都喜欢数字七。间谍既然是从八八王国来的，他必然喜欢八而不喜欢七。咱们从这点下手，就一定能把这个间谍捉住。”牛牛一听，高兴得跳起来，拍了小七副官一巴掌说：“好主意！就这样办！”

牛牛和小七副官带上武器，一前一后来到了集市。咳！集市上商店一家挨一家，行人熙熙攘攘，还挺热闹。

牛牛仔细看了一下各商店的字号，发现都带有七。比如“七七旅店”、“七美理发店”、“七珍餐厅”、“七满意百货公司”……牛牛心里暗想：“真难为他们，都能找到与七有关的名字。”

小七副官带着牛牛到一家小饭馆，牛牛抬头一看，上面写着“七方便饭馆”。走进小饭馆，小七副官对掌柜的耳语了几句。掌柜的点了点头，扛着梯子，拿着毛笔，把“七方便饭馆”改成“八方便饭馆”。

把七改成八，来吃饭的人立刻少了一半，饭馆里显得清静多了。小七副官和牛牛躲进里屋，隔着窗户往外看，只见一个瘦高个的中年人抬头看了一下字号，慌慌张张地走进店里，对掌柜的说：“来 8 个馅饼，8 碗面条。”

“这家伙真能吃啊！够咱俩吃一天的。”牛牛小声嘀咕着。

小七副官问:“咱俩怎样捉住他?”

牛牛想了一下说:“趁他还没填饱肚子,咱俩一起上去把他捉住!”

“不成啊!司令官。”小七副官摇摇头说,“咱们凭什么捉人家?人家犯了什么罪?”

“他偷记操练内容,形迹可疑。另外,电影里的特务都戴鸭舌帽,他也戴顶鸭舌帽……”牛牛越说声音越大,小七副官示意他小点声。

小七副官说:“证据不足,不能随便抓人!”

“那你说怎么办?”

小七副官凑近牛牛的耳朵,悄悄说:“我先去搜查他的笔记本。你躲在他的身后,听我说:‘把他抓起来。’你就用枪顶住他的后腰。”

牛牛笑着点点头说:“这次,我这个当司令的,要听你副官指挥喽!”

小七副官跨进店堂,那个戴鸭舌帽的中年人正低着头吃面条。

小七副官很有礼貌地向他行个军礼，然后说：“请出示一下你的证件。”

那人用警惕的目光看了小七副官一眼，伸伸脖子把嘴里的面条咽下去，然后慢腾腾地从上衣口袋里掏出一个小蓝本，递给了小七副官。

小七副官连看也不看一眼，又对他说：“这是上周的身份证，这周已换成绿颜色的了。我要搜查你的全身！”

那人犹豫了一下，慢慢站起来。小七副官伸手搜他的右边口袋，摸到了一个硬皮本，刚要往外拿，只见他脸色一变，挥手一拳把小七副官打出去好远。小七副官大声喊：“把他抓起来！”

奇怪的是牛牛瞪着大眼睛，站在一旁一动也不动。原来牛牛只顾看热闹，忘了自己的任务了。

这一耽搁可坏事了，那人逃出饭馆。小七副官掏出手枪紧追出去，牛牛也拔出枪跟在后面猛追。

“啪、啪”那人回头就是两枪。小七副官往左边一躲，子弹擦着牛牛的耳边“嗖”的一声飞过去。

小七副官回头对牛牛说：“司令，你抄近路到前面截住他！”

这时瘦高个跑到岔路口，掉头向左边跑去，小七副官在后面紧追不舍。

牛牛想，他跑到前面必然拐弯向右跑。这里正好构成

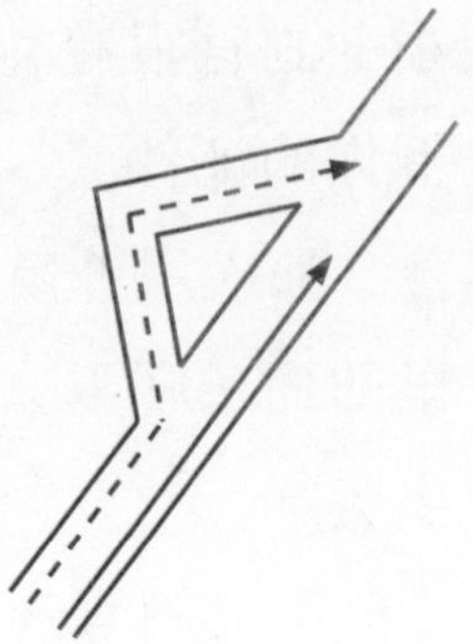

一个三角形,那人走的是三角形的两条边,我走直道就一定比他先到。数学上讲过,三角形的两边之和大于第三条边嘛!

想到这儿,牛牛一猫腰就沿着直道低头猛跑。跑到前面的岔路口,牛牛往左一看,瘦高个正一面回头射击,一面往这儿跑。

牛牛挡住了那人的去路,大喊一声:“不许动,放下武器!”可是他不理睬牛牛的命令,抬手给牛牛一枪。牛牛往旁边一躲,他趁机从牛牛旁边跑了过去。牛牛瞄准他回了一枪,咦,怎么不响啊?噢,牛牛想起来了,忘了把子弹推上膛了,真糟糕!

小七副官也追过来了。他气喘吁吁地问:“司令官,你怎么不把特务截住?”

“我……”牛牛真不愿意把忘记推上子弹的事说出来。

间谍钻进人群不见了。牛牛和小七副官垂头丧气地回到了王宫。七七国王安慰说:“不要紧,跑了个小特务没什么了不起!咱们加紧练兵,这一仗一定能打胜!”

整装待发

ZHENGZHUANGDAIFA

牛牛又挑选了 777 名士兵。给每名士兵配备了冲锋枪和手枪，腰里挂着手榴弹，靴筒里藏有匕首。每 10 名士兵配有一挺机枪，每 50 名士兵配有一门大炮。

牛牛要求七七国王检阅出征的部队，国王高兴地答应了。

小七副官问："司令，检阅时这 777 名士兵怎么个排法呀？"

"嗯……"牛牛心里想，这真要好好安排一下，队伍要排得整齐、雄壮。

小七副官又问："排成一横排？"

牛牛摇摇头说："单排太单薄。"

"排成三个横排？ 777 可以被3整除，每横排是 259 人。"

牛牛又摇摇头说："259 人一排，队伍显得太短，走不了几步就检阅完了。"

小七副官有点为难，他说："777 是个单数，可不能排

成两横排啊！”

“我想这样排法，把检阅的部队分成三段，第一段只有1排士兵，第二段有2排士兵，第三段有3排士兵，每段的长度都一样长。”说着牛牛在地上画了个示意图：

“这样排法有什么好处？”

牛牛说：“好处可大啦！第一，队伍显得长；第二，队形有变化，不显得单调；这第三点嘛……对啦，排数由少到多，表示我们的队伍越来越壮大。”

小七副官高兴地说：“是个好主意。可是，这每一段应该站多少名士兵啊？”

牛牛拍着小七副官的肩头说：“我牛司令就把这个计算任务交给你喽！你给我算一算吧。”

“是！”小七副官向牛牛行了个军礼。

牛牛一走，小七副官可犯了难。这可怎么算啊？他在地上写了三个大大的“777”，看着这个三位数发愣。

“第一段1排，第二段2排，第三段3排，每排的士兵数都一样多。这每一排要多少士兵呢？”小七副官一边想，一边在地上乱画。他无意中把这

三段画在一起，成了6排。

突然，小七副官一拍大腿，大喊一声：“有办法啦！”

“有什么办法？”牛牛好奇地问小七副官。

“三段既然一样长，我把三段排在一起就成6排。用 777 除以 6，就能得出每排有多少士兵来。”说着小七副官就做了个除法

```
     1 2 9
  6 ) 7 7 7
      6
    -------
      1 7
      1 2
    -------
        5 7
        5 4
    -------
          3
```

“唉，每排站 129 名士兵，可是还余 3 名士兵。”

牛牛说：“多出 3 名，让 1 名士兵持军旗，另 2 名士兵护旗，这不就正合适吗？”

“太棒啦！”小七副官高兴得又蹦又跳。

出征的日子到了。777名士兵按着牛牛的布置，排成三段，前面是一杆火红的战旗。战士们精神抖擞，队伍整齐。七七国王在牛牛的陪同下，迈着有节奏的方步检阅队伍。

七七国王向士兵们讲话："勇敢的战士们，和八八王国决战的日子到了！你们是七七王国的保卫者，我相信你们在牛司令的指挥下，一定能取得决战的胜利！士兵们，军号已经吹响，去奋勇战斗吧！队伍出发！"

七七国王一声令下，队伍在牛牛的带领下，向战场开发，一场恶战将要开始了！

先来斗智

XIANLAIDOUZHI

战场选在七七王国和八八王国的边界。这个地方四周环山，中间是平原，一条河从平原中间穿过，成为两国的自然边界。

牛牛来到战场，发现八八王国的军队早已摆好阵式，小八上尉骑着一匹红马站在阵前。

“他们的司令官为什么不来，只派个上尉来指挥这场战斗？是有意看不起我？”想到这儿，牛牛自矜地对小八上尉说：“噢，是小八上尉，贵军的司令官在哪儿？我要找他谈话。”

“哈哈……”小八上尉仰起头对牛牛说：“你看看我穿的是什么军装，你就知道谁是司令喽！”

小七副官悄声对牛牛说：“司令，今天小八上尉穿的是一身元帅服，只有司令官才有资格穿这种衣服。”

牛牛仔细一看，果然小八上尉穿了一身漂亮的元帅服。牛牛眼珠一转，笑着对小八说：“哟，小八阁下官运亨通，几天不见从上尉一下子变成了元帅啦！祝贺阁下荣升！请问，今天这场仗，小八司令准备怎样打呀？”

小八司令说：“人家都说数学好的人脑子很灵，今天咱们先来斗智怎么样？”

“怎样斗法？”

“咱们以现有的军队为斗智的工具，你出个问题考我，我再出个问题考你，谁答不上来谁就算输。”

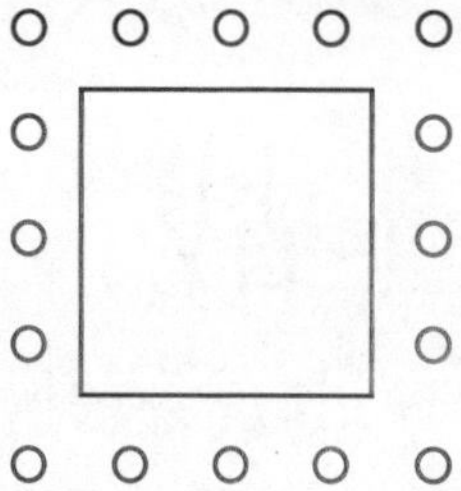

牛牛点点头说：“你先来出题吧。”

“好吧，”只见小八司令一挥手，从八八王国的军队中走出16名士兵，他们排成一个正方形，每边恰好有5名士兵。

小八司令说：“从这16名士兵中减少两名士兵，还要保持每边仍旧是5名士兵，你能做得到吗？”

听完小八司令出的题目，七七王国的士兵都很惊讶，他们小声在下面议论说：“这根本办不到！少了2个人，每边怎么还能保持5个人？这是成心刁难人！”还有的士兵说：“这次看咱们这位数学司令有什么高招吧！”

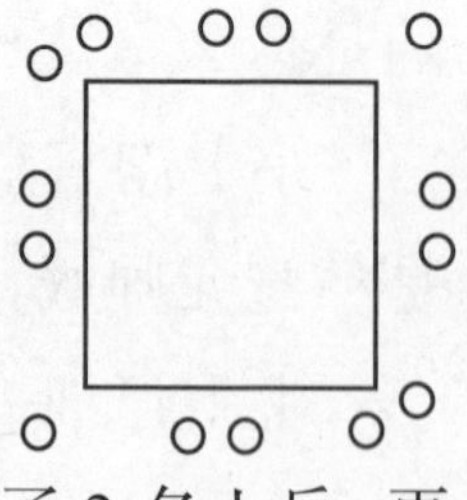

牛牛微微一笑说：“这也算个问题？这个问题你拿去考幼儿园的小朋友还差不多。”他说罢，把令旗一挥，队伍里走出了2名士兵，再一挥令旗，果然14名士兵排成了一个正方形，数一数，每边正好 5 名士兵。

“好！”“妙极了！”“牛司令真是聪明过人！”七七王国士兵的叫好声此起彼伏。

小八司令吃了一惊，他马上又问：“你能再减少 2 名士兵，仍然保持每边 5 个人吗？”

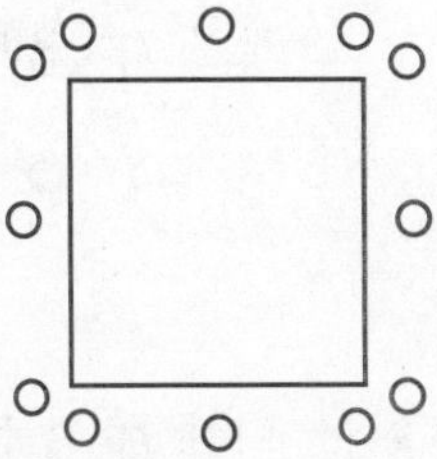

牛牛把头往上一仰说：“这有什么难的？我来给你安排一下。”牛牛很快给安排出来，这次是四个角站两名士兵，中间各站一名。七七王国的军队中又发出一阵喝彩声。

小八司令点点头说：“牛司令该你出题了。”

“慢！”牛牛一抬手说，“你这个问题还没有问完哪！”

“还没有问完？”小八司令看了牛牛一眼说，“还要怎样问？”

牛牛说：“把这 12 名士兵再减少 2 名，剩下 10 名士兵，你还能排成每边 5 个人吗？”

“这个……”小八司令眼珠一转说，“这个问题是我来考你的，应该你来解答才对。”

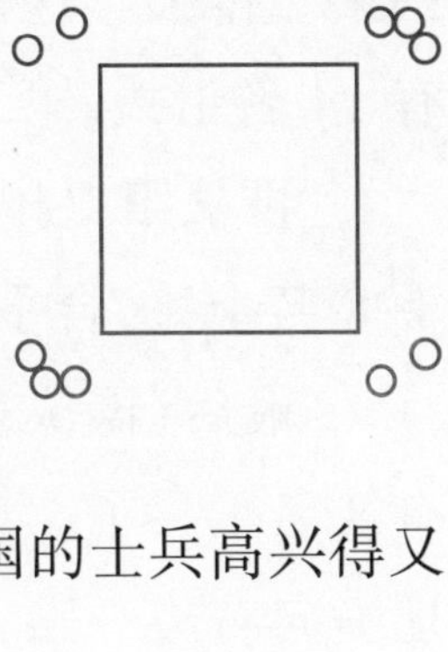

牛牛也不和他计较，指挥士兵站在 4 个角上。一组对角上各站 3 名士兵，另一组对角上各站 2 名士兵。算起来每边仍旧是五名士兵。

牛牛这一招可厉害！你看，七七王国的士兵高兴得又蹦又跳，再看八八王国的士兵，脸上都露出惊慌的表情。

小八司令为了给自己找个台阶下，就说："这最后一个问题比较难，我怕你答不出来，所以就不问了。"小八司令的几句话，引来七七王国士兵的一阵嘘声。

该牛牛出题了。他从自己部队中找来 24 名士兵，命

○ ○ ○ ○ ○ ○ ○ ○ ○ ○ ○

○ ○ ○ ○ ○ ○ ○

○ ○ ○ ○ ○ ○

令他们排成 3 排，第一排 11 人，第二排 7 人，第三排 6 人。

牛牛说："请小八司令调动一下，使他们每行 8 名士兵。要求是，只能调动 3 次，每次调到某一排的士兵数，要和这排原有的士兵数一样多。请调动吧！"

小八司令皱着眉头，光对着这三排士兵发楞。突然，他跳下马来说："我来调动。先从第一排中调出 7 名士兵

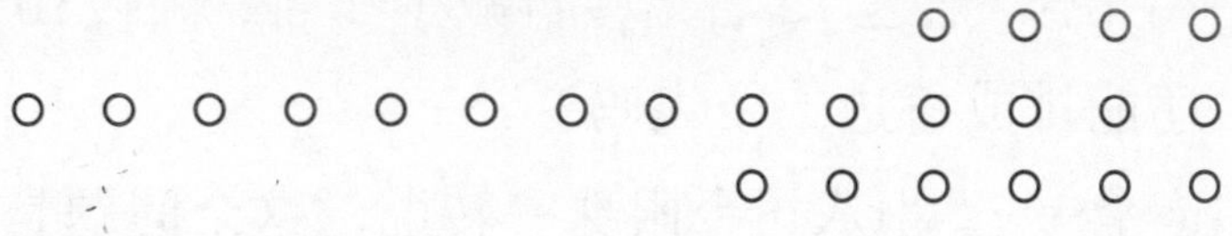

○ ○ ○ ○

○ ○ ○ ○ ○ ○ ○ ○ ○ ○ ○ ○ ○ ○

○ ○ ○ ○ ○ ○

到第二排去。"这样一调，第一排还剩下 4 名士兵，第二排有 14 名士兵，第三排仍旧是 6 名士兵。

"再从第二排调出 6 名士兵到第三排，这样第二排剩下 8 名士兵，合乎要求了。

"最后，再从第三排调出 4 名到第一排，这样，每排就有 8 名士兵了。这个问题实在太简单。"小八司令说完，把嘴向右边一撇，显得十分高傲。

○ ○ ○ ○

○ ○ ○ ○ ○ ○ ○ ○

○ ○ ○ ○ ○ ○ ○ ○ ○ ○ ○ ○

小八司令说："请七七王国出3名士兵，我们也出3名士兵，让他们排成一排。"

○ ○ ○ ● ● ●

七七王国的军队都穿红军装，八八王国的士兵却穿白军装。6名士兵站在一起，红白分明，十分醒目。

小八司令对牛牛说："请你调动三次，把这一横排变成一红一白的相间排列，而且每次调动时要调相邻的一对，不能单调，不调动的士兵不能左右移动。"

牛牛听数学老师讲过，越是表面看来简单的问题，往往越难解。牛牛对这6个士兵排列的问题，一点也不敢轻视。

牛牛认真琢磨，先把中间的一红一白调到右边去？这样在右边组成了一红、一白、一红，可是下一步就难调动了。看来，必须从两边选一对来调动。

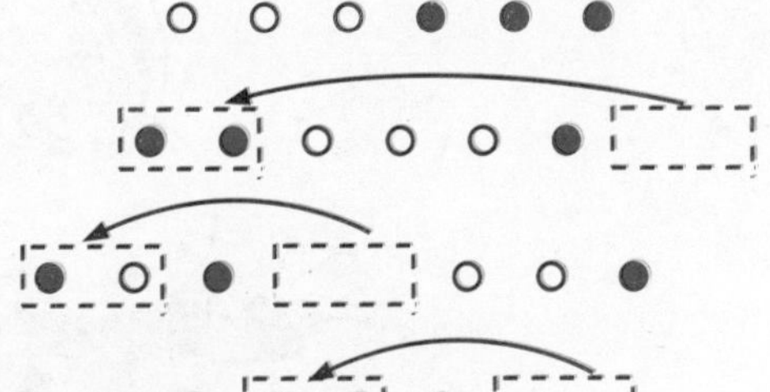

牛牛慢慢思考着。

小八司令不耐烦地说："如果不会做，就痛痛快快地认输！"

"哼！"牛牛大声说："最右边的两名七七王国的士兵，到左边去。"

"从左数，第二个和第三个士兵到左边去。"

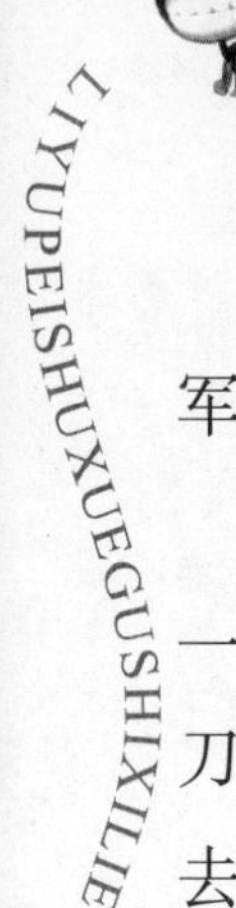

“最右边的2名士兵，插进中间的空档。”

用了三步，正好调成了红白相间的排列。七七王国的军队中又爆发出一阵喝彩声。

又该牛牛给小八出题了。牛牛刚要张嘴，小八司令官一摆手说：“斗智就到这儿结束了，下面咱们摆开阵式，真刀真枪斗勇吧！”说完也不等牛牛回话，调转马头跑回阵去。

小七副官忿忿不平地说：“还差一道题没考呢，他倒先溜了。怕是答不出来吧！”

牛牛说：“准备战斗！”

再来斗勇

ZAILAIDOUYONG

牛牛和小八各自回到自己的阵营中调遣队伍。八八王国的队伍里“咚、咚、咚”三声炮响，从他们的阵地上冲出一支正方形的队伍。这个正方形的队伍每边有 20 名士兵，士兵们平端着上了刺刀的步枪，在大鼓、小鼓的伴奏下，迈着正步“唰、唰”地冲上来。

鼓声惊天动地，刺刀寒光闪闪……这种阵式牛牛从来没见过，心里真有点害怕，手也微微抖动。

小七副官在一旁说：“这叫做‘精神战术’。司令，你操练的三角形队列就能破他这个方阵。”

牛牛一想，对呀！

这个正方形队列就像块大木块，三角形队列就像个钻头。木头用钻头一钻，还不钻个大窟窿？想到这儿，牛牛来劲了，他把手中的令旗向上一举，大喊一声："按三角形队列出击！"

牛牛一声令下，前面的士兵立即打出一面红军旗，后面的队伍是一个比一个大的三角形，像把尖刀般地向正方形队列刺去。

刀光闪闪，杀声震天，两方面的部队短兵相接了。三角形队列向正方形队列里猛插，一下子把正方形队列冲出一个大口子。八八王国的士兵被冲得纷纷向两边躲闪。由于三角形队列越往后队伍越宽，结果被冲开的口子越来越大，冲成了两部分。

七七王国的士兵都斜着身子，枪口一致向外，士兵们互相保护，三角形队列始终保持不变。

小八司令见状大吃一惊，赶紧问他的胖子副官："你看，这个三角形队列有多少名士兵？"

胖子副官和小八司令是中学同学。中学毕业后，小八上了军官学校，胖子上了数学专科学校。小八当上了八八王国的司令后，听说七七王国新上任的牛司令，外号叫"数学司令"，小八就请数学好的胖子当副官来对付他。

胖子副官长得圆圆的身子，圆圆的眼睛，圆圆的脸，圆圆的肚子，外加戴一副圆圆的眼镜。

胖子副官听到小八司令问他话，立刻立正，一本正经地回答说："报告司令，我数了一下，除去拿军旗的，一共有 11 个三角形。"

小八司令着急地又问："我问你这个队列一共有多少人？"

"这个，我得再计算一下。"说完，胖子副官从口袋里掏出笔和本，边写边说，"第一个三角形有 3 个人；第二个三角形有 6 个人，比第一个三角形多 3 个人；第三个三角形又比第二个三角形多 4 个人，哎呀！这里有什么规律呢？"

正当胖子副官抓耳挠腮，算不出总数来的时候，忽见牛牛把令旗一摆，大喝一声："变！"只见七七王国的三角形队列中，相邻两个三角形合并在一起，变成了 6 个正方形队列。

胖子副官一拍大腿高兴地说："这下子可好啦！三角形全并成正方形了，正方形的人数可好算多了！"说完列出一个算式

$$2 \times 2 + 4 \times 4 + 6 \times 6 + 8 \times 8 + 10 \times 10 + 12 \times 12$$
$$= 4 + 16 + 36 + 64 + 100 + 144 = 364(人)。$$

胖子副官向小八司令行了个军礼，说："报告司令，三角形队列中共有 364 名士兵。"小八司令点了点头。

胖子副官指着算式补充说:“其实这个加法还可以做得更简单一些。你看,这里的每一个数都含有因数2,利用乘法分配律可以这样来算。”胖子副官又列出一个算式

$2\times2+4\times4+6\times6+8\times8+10\times10+12\times12$

$=2\times2\times(1\times1+2\times2+3\times3+4\times4+5\times5+6\times6)$

$=4\times(1+4+9+16+25+36)$

$=4\times91=364$(人)

胖子副官指着答数说:“你看,也是364人。”

小八司令官听了自言自语地说:“我们是400人,他们是364人,他们却把我们打乱了。”

小八司令思考了一会,突然把手一挥说:“再上一个400人的方队。我们800人对付他的360人,就一定能胜利!”

胖子副官在一旁纠正说:“司令,是364人,你少说了4个人。”

小八司令不耐烦地说:“多4个,少4个,起不了什么作

用！”

胖子副官认真地说：“数学是一门精确的科学，差一点也不成！”

“咚、咚、咚”三声炮响，从八八王国的阵地中又冲出一个由400名士兵组成的方队。

牛牛一看八八王国又派出一支方队，他不敢怠慢，大喝一声，急忙把令旗向上一举，又派出一支三角形队伍前去迎战。

小八司令已经吃了一次亏，不想把这第二个方队也让三角形队伍冲散。他急忙下令：“快吹撤退号！”

“嗒、嗒……”一阵响亮的号声吹响，八八王国的士兵纷纷向后撤退。七七王国的士兵还想追赶，说时迟，那时快，八八王国的军队用密集的大炮和机枪把七七王国的军队拦截住。

小七副官提醒说：“这样硬追损失太大，咱们也应该撤兵！”

牛牛正打得高兴，小七副官叫他撤兵，心里老大不高兴。可是，看到七七王国的士兵，在对方的枪炮下不断地倒下，也只好下令收兵。

一场战斗打下来，七七王国的官兵都夸奖牛司令智勇双全。一个士兵跷起大拇指说：“别看咱们牛司令年纪小，这一斗智就把那个小八司令斗得第二道题都不敢答了。”“哈哈……”士兵群里响起了一阵笑声。

又一个士兵一边比划一边说："嘿，牛司令学过诸葛亮的八卦阵，摆出的三角形队列就像一把尖刀。小八司令摆出的正方形队列好像块大肥肉，被尖刀一割就碎，没几刀就把它割成肉块了，哈哈……"

牛牛打了胜仗，又得到了士兵们的称赞，心里别提有多高兴了。他觉得自己是个相当出色的司令了。他想着想着，头抬得更高了，步子也迈得更大了，仿佛自己一下子长高了许多，明明比自己高出一头的士兵，此刻也好像比自己矮了一截。

牛牛越想越得意。

GUOWANGSONGDELIWU
国王送的礼物

却说牛牛正在得意，一名士兵前来报告说：“七七国王派人送慰问品来啦！”牛牛一回头，果然见教育大臣率领一群人，吹吹打打，带着许多礼物来了。

教育大臣说：“七七国王听说牛司令指挥战士每战必胜，特地让我代表他向全体指战员送点薄礼。”说罢，下面抬上来许多箱苹果。

教育大臣说：“这里有 9324 个苹果。七七国王要求把士兵分成立一等功、立二等功、立三等功三种，其中立二等功的人数是立一等功的 2 倍，立三等功的人数是立二等功的 2 倍。”小七副官赶紧把这几个数字记下来。

教育大臣又说：“国王还嘱咐，立一等功的士兵，他们所分得的苹果数应是立二等功的 2 倍，立二等功所得苹果数应是立三等功的 2 倍。”

小七副官摸着脑袋说：“国王是叫我们分苹果呀，还是叫我们解算题？”

教育大臣笑着说：“七七国王说，牛司令是数学司令，

送礼也要有点数学味，不然就没意思。”

小七副官两眼看着牛牛，意思是问怎么办。牛牛说：“我现在就来算。先来算立一、二、三等功的各有多少人？”

小七副官点点头说：“你说，我来写。”

牛牛双手往后一背，来回踱步说：“设立一等功的人数为 1 。”

小七副官惊讶地问：“怎么，立一等功的只有一个人？”

“不，不是这个意思。”牛牛摆摆手说，“我这里说的‘1’，意思是把 777 名士兵分成若干份，立一等功的占其中的一份。”

“1是一份的意思。”小七副官明白了。

牛牛又接着说：“立一等功的人数为 1 ，立二等功的人数就是 2 ，立三等功的人数为 4 。合起来是 7 ，把 777 人分成 7 份，每份就是 111 人。这就算出来立一等功的有 111 人，立二等功的有 222 人，立三等功

的有 444 人。”

“高明，果真高明！”教育大臣称赞说，“数学司令名不虚传啊！”

小七副官看不惯教育大臣这种吹捧恶习，瞪了他一眼，又问牛牛：“往下怎样算？”

牛牛说：“分苹果的算法和刚才算人数的方法差不多，你来算算吧。不过立三等功分几个苹果我已经知道了。”

小七副官学着牛牛的算法，设立三等功分得的苹果数为 1，立二等功的就是 2，立一等功的就是 4，合在一起还是 7。$9324 \div 7 = 1332$。

小七副官想，立三等功的有 444 人，他们共分 1332 个苹果，每人分 $1332 \div 444 = 3$ 个。

小七副官高兴地说：“我算出来了，立三等功的每人分 3 个苹果，立二等功和立一等功的每人各分 6 个和 12 个苹果。司令，我算得对不对？”

牛牛摇摇头说：“不对！”

“不对？”小七副官不大相信自己会算错。

“不信，你验算一下就知道对不对啦。”

小七副官列 3 个算式

$$3 \times 444 + 6 \times 222 + 12 \times 111$$
$$= 1332 + 1332 + 1332$$
$$= 3996（个）$$

牛牛笑着问："才分出 3996 个苹果，剩下的 5000 多个苹果分给谁呀？"

"这……"小七副官捂着脑袋说，"我错在哪儿呢？"

"错在分苹果时，你没考虑立一、二、三等功的人数。"牛牛接过纸和笔边写边说，"由于立各等功的人数不同，苹果就不能再按7份来分啦。设立三等功的分x个苹果，那么立二等功、立一等功分得的苹果数就是 $2x$ 和 $4x$。这时可以列出一个含 x 的等式。"

$$444\times x+222\times 2x+111\times 4x=9324,$$

$$x\times(444+444+444)=9324,$$

$$1332x=9324,$$

$$x=7(\text{个})。$$

"立一、二、三等功的分别分 28 个、14 个和 7 个苹果。"牛牛笑着说，"我早知道分 7 个苹果。"

小七副官好奇地问："你怎么知道的？"

"你忘了七七国王最喜欢 7 了。"牛牛说得大家哈哈大笑。

教育大臣一挥手说："把酒抬上来！"只见下面抬来许多箱酒。由于酒有好几种，因此，箱子的大小、每箱装酒的数量也不一样。

教育大臣说："七七国王命你们把士兵分成三队。这些瓶酒先分给第一队$\frac{3}{10}$，把余下的$\frac{2}{5}$分给第二队，$\frac{4}{7}$分

给第三队，最后还剩下 10 瓶好酒，是专门慰问牛司令的。”

小七副官问牛牛：“这次又该怎样分法？”

牛牛说：“先要把总数求出来。”

“总数又怎样求？”小七副官还是不会。

牛牛说：“要设总的酒数为 1 。第一队分走$\frac{3}{10}$，余下的就是$1-\frac{3}{10}=\frac{7}{10}$；第二队分走$\frac{7}{10}$的$\frac{2}{5}$，也就是$\frac{7}{10}\times\frac{2}{5}=\frac{7}{25}$，意思是占总酒数的$\frac{7}{25}$；第三队分走$\frac{7}{10}$的$\frac{4}{7}$，也就是$\frac{7}{10}\times\frac{4}{7}=\frac{2}{5}$，意思是占总酒数的$\frac{2}{5}$。这样一来，三队各占总数多少就求出来了。”

小七副官接着说：“有了$\frac{3}{10}$，$\frac{7}{25}$和$\frac{2}{5}$。往下又怎样算？”

牛牛说：“把这三个数加起来是$\frac{3}{10}+\frac{7}{25}+\frac{2}{5}=\frac{15+14+20}{50}=\frac{49}{50}$。这里还差$\frac{1}{50}$，小七副官，你说这$\frac{1}{50}$的酒哪里去了？”

小七副官一琢磨，笑着说：“这$\frac{1}{50}$的酒不是慰劳给司令您了吗？”

牛牛得意地说：“$\frac{1}{50}$是 10 瓶酒，原来不就是 500 瓶酒吗？”

“对、对！”小七副官拍着自己的脑袋说，“有了总数 500 瓶可就好分了。第一分队分 $500\times\frac{3}{10}=150$ 瓶，

第二分队分 $500 \times \frac{7}{25} = 140$ 瓶，第三分队分 $500 \times \frac{2}{5} = 200$ 瓶。好了，各分队派人来领酒啦！”

教育大臣还带来好多肉、菜、鱼。士兵们非常高兴，又喝酒，又吃肉，好不热闹。

夜深了，士兵们吃饱喝足，在帐篷里睡着了。牛牛忙了一天也很累，上下眼皮直打架。

小七副官却精神得很。他布置岗哨，检查武器，又亲自领兵巡逻。他看见牛牛困得不成样子，便说：“司令，你睡吧，我来值班。”

牛牛硬撑着说：“我——不——困……”牛牛说着，身体不断晃动。

小七副官赶紧把牛牛扶住，劝说道：“司令，你先睡会儿，过一会儿我来叫醒你。”

牛牛眯着眼睛说：“过一个小时，你—— 一定——要叫醒我！”说完“咕咚”一声倒在床上睡着了。

DIRENLAITOUXI 敌人来偷袭

小七副官自幼当兵，对于打仗是很内行的，虽然白天牛牛指挥七七王国军队，一连打了几个胜仗，但是小七副官心里明白，小八司令并没有拿出真本事来。而自己一方呢，虽然新上任的牛司令人很聪明，数学基础也好，可是没打过仗，缺少实战经验。他越想越不放心，看牛牛睡得正香，就一个人悄悄走出指挥部去查岗。谁知刚走出指挥部，就听到一种异样的声音。他赶紧趴在地上，把耳朵贴着地面仔细听，听到了许多脚步声。他大吃一惊，这是八八王国来偷袭军营了。

小七副官转身跑回指挥部。“司令、司令，快醒醒！有情况！”看来有什么情况也没用了，牛牛睡得别提多香了。

“没见过这样能睡的司令官！”小七副官嘟哝了一句，转身就往外走。他到各军营叫醒战士们。这700多名战士都是老兵，一听说有情况，立刻提着枪跑了出来。

小七副官刚把战士安排好，八八王国的士兵已经摸上来了。

小七副官大喊一声："打！"七七王国阵地上射出来的子弹，像雨点似地打到敌人的身上，前面的八八王国士兵倒下一大排。

俗语说"来者不善"，八八王国的军队立即用机枪、大炮作掩护。密集的子弹，打得七七王国的士兵一时抬不起头来。八八王国的士兵一个劲往前攻。

第一阵枪声硬是没把牛牛惊醒。还是八八王国打来的一发炮弹，把牛牛从床上震到了地上，摔得他"哎哟"一声，从梦中醒来。

牛牛刚跑出门，一排机枪子弹迎面打来，吓得他趴在地上，一个翻滚，滚到了小七副官跟前。

小七副官大吃一惊问："司令，你睡醒了？"

牛牛埋怨小七副官说："都打起来了，你为什么不叫醒我呀？"

小七副官说："不是我没叫你，实在是叫不醒你呀！"牛牛听小七副官这么一说，真有点不好意思，脸有点发红。

小七副官问："敌人的偷袭来势很猛，你说怎么办？"

牛牛拔出手枪，坚定地说："顶住打！不行，咱们来个反击，打他个有来无回！"

"不成啊！"小七副官说，"咱们也不知敌人来了多少，不清楚他们的兵力部署，不能轻易反击。"

“那，咱们就坐等挨打了？”牛牛是不甘心让人家进攻的。

这时天蒙蒙亮，已经能模模糊糊看到敌人的行动了。

小七副官用手一指说：“司令你看，八八王国用的是梯形队伍，你能算出这个梯形队伍里有多少人吗？”

“梯形很好算，它的面积公式是$\frac{1}{2}\times$(上底+下底)×高。只要数一数他们第一排有多少人，最后一排有多少人，再数一数他们一共有多少排，我就能算出总人数来。”牛牛的把握挺大。

小七副官可有点怀疑，他问：“司令，用求面积的办法求人数，能行吗？”

“没问题，你快数吧！”

小七副官看见不远的地方有棵柳树，他猫腰跑过去，三下两下上了树，这样居高临下可以看得清楚。

很快，小七副官就回来报告说：“我看清楚了，第一排是20人，最后一排是42人，一共是12排。”

牛牛在地上写了个算式,算了起来:

$$\text{梯形队伍总人数} = \frac{1}{2} \times (20 + 42) \times 12$$
$$= \frac{1}{2} \times 62 \times 12$$
$$= 372(\text{人})$$

牛牛说:“算出来啦! 这个梯形队伍有 372 人。”

教育大臣也不知什么时候凑了过来。他慢吞吞地问:“用求梯形面积的公式来求人数, 我当教育大臣多年, 还从没听说过。我认为司令的算法缺少根据, 对计算结果我也抱怀疑态度。”

牛牛说:“ 372 人肯定没错! ”

教育大臣摇摇头说:“我不信。要叫我相信, 你除非拿出充分的证据! ”

你说战斗进行得这样激烈,我还有时间给你找证据? 真急死人啦! 可是牛牛又一想, 教育大臣是七七国王派来的慰问团团长,也不好得罪。

牛牛琢磨了一下说:“这样吧, 我画个图给你讲讲我的根据。咱们简单地设梯形队伍的第一排有 3 个人, 最后一排有 9 个人,一共 4 排。”

教育大臣神气十足地说:“简单点、复杂点倒是没关系,只要把道理讲清楚就可以。”

牛牛也没理他,在地上边画边说:“把这个梯形队,再

倒接上一个同样的梯形队,就变成了一个平行四边形了。教育大臣先生，你数一数这平行四边形中的每一排是不是都是 12 人？”教育大臣认真地数了数,点头说是 12 人。

牛牛又说,“每排 12 人,一共 4 排,总人数应该是 $12 \times 4 = 48$ 人吧？而梯形队的人数是 $\frac{1}{2} \times 48 = 24$ 人，对不对？”

“你说得对！”教育大臣又点点头。

“这 12 人,是不是第一排和最后一排人数之和？”牛牛说,“这 24 人就可以写成 $\frac{1}{2} \times (3 + 9) \times 4 = 24$,这就是我计算的根据！”

教育大臣仔细看着牛牛写的最后一个算式,一字一句

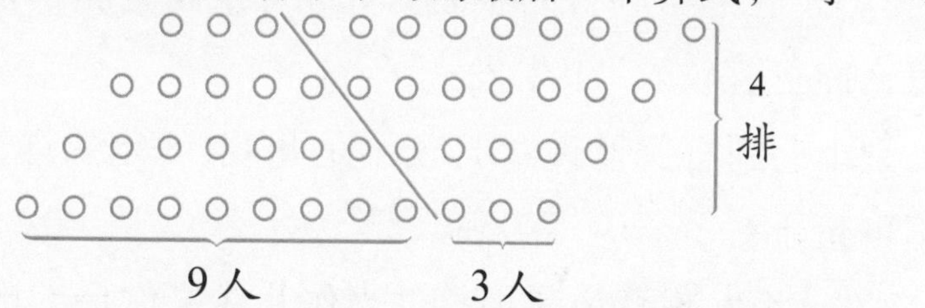

说:“第一排加上最后一排的人数,乘以排数,再除以 2 。对！就是这个算法,没错。”

小七副官说:“他们共有两个这样的梯形队, 每个梯队是 372 人。他们一个进攻,另一个就用炮火掩护。”

“他们总共才 744 人, 人数并不比咱们多, 咱们不能在这儿被动挨打, 应该主动出击打垮他们。”牛牛摘下腰间的令旗,要采取行动了。

司令上当了

SILINGSHANGDANGLE

牛牛觉得自己的士兵比对方多，为什么不冲出去把八八王国的军队，打它个稀里哗啦呢？他摘下令旗，刚要集合队伍，小七副官拦住了他。

小七副官说："司令，不能盲目往外冲，没有摸清敌人的虚实，留神上当！"

"你这个当副官的不是身先士卒，而是胆小怕事，这怎么能打胜仗？"牛牛发火了。

小七副官又劝说："打仗不是儿戏，一定要谨慎行事，不可蛮干！"

"什么？你竟说我把打仗当作儿戏？你是不是看我年纪小，看不起我这个司令官啊？"牛牛越说越来劲儿，他用手指着小七副官说："我命令你留下来看守指挥部，我带兵冲出去！"

"司令，"小七副官还想解释几句，可是牛牛不再理睬小七副官，掉头走了。

牛牛又排出他拿手的三角形队列，一声令下，直向八

八王国的军队冲去！也许八八王国的军队被三角形队列打怕了，见到三角形队列冲出来，立即掉头往回撤。

牛牛见了十分高兴。他心想，我的三角形队列是无坚不摧！想必小八司令已领教了我的厉害。现在我要乘胜追击，彻底打垮他们！

牛牛把令旗在空中挥了几下，高喊："士兵们，冲啊！"七七王国的士兵听到司令的命令，跑步向前冲。八八王国的军队被三角形队列冲得溃不成军！

牛牛指挥部队在后面穷追猛打。他想，这次我在决战中打了大胜仗，七七国王一定设宴为我庆功，七七王国从上到下没有人不知道我这位数学司令的！

"咚、咚、咚"三声炮响，惊醒了牛牛的美梦。他抬头一看，敌人已经停止撤退，他们在

三角形队列的前面，一左一右摆好两个梯形队列。一匹红马从两个梯形队列中间冲杀出来，骑在马上的正是小八司令。

小八司令笑着对牛牛说："数学司令，这次你可计算错了！你竟敢追进八八王国之内，咱俩在这儿决一死战吧！"

小八司令抽出战刀向空中一举，大喊："梯形队列进攻！"两队梯形队列一左一右，像钳子一样夹过来。

牛牛也不甘示弱，他把令旗一举，大喊："三角形队列，冲锋！"

两支队伍一交手，可就坏事了。八八王国的两个梯形队伍一合拢，一下子就把三角形队列的头给夹住了，不管你怎样冲，也休想冲出去。而且越往里冲，被夹住的部分越大。

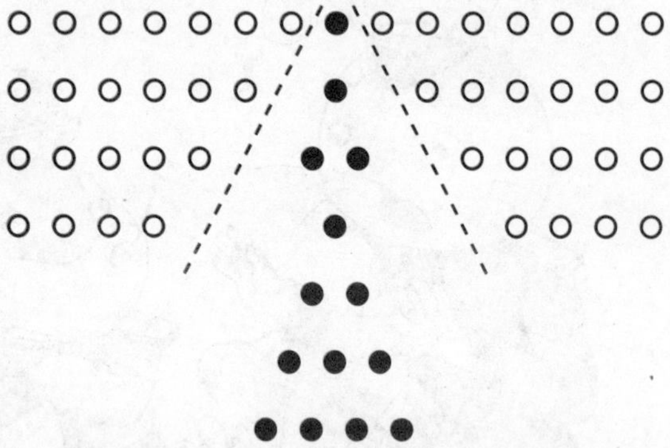

牛牛一看，大吃一惊，这等于钻进人家的口袋里了！牛牛惊魂未定，又听三声炮响，从后面冲出一支骑兵。这支骑兵也是一支三角形队列，从七七王国队伍后面猛插进来。

牛牛根据三角形的道理，设计的这种三角形队列，适

于进攻，但防守能力很差，特别是它的后面，最怕人家攻击。看来，小八司令已经琢磨透了这种三角形队列的优缺点，来了个“以其人之道还治其人之身”，用快速的三角形骑兵部队，猛插背后。

小八司令这一招儿真厉害呀！七七王国的部队，前面被夹，后面被冲，两面夹攻，阵脚大乱。

小八司令骑着红马，挥舞着战刀，忽左忽右地指挥着战斗。再看牛牛，右手拿着手枪，左手挥着令旗在前后奔跑。可是，七七王国的军队已经被人家冲散了，士兵们到处乱跑，乱放枪，根本不听牛司令的指挥。

牛牛心想，悔不该刚才不听小七副官的话，这下子钻进人家的圈套里，可别想出去了。八八王国的军队围成一个大包围圈，把七七王国的军队全都围在里面，包围圈越缩越小……

司令被俘

SILINGBEIFU

牛牛正在没有办法的时候,从包围圈外杀进来一支人马,第一个冲进来的是小七副官。

小七副官来到他跟前,急忙问:“司令,怎么样?没受伤吧?”

牛牛摇摇头说:“没事,咱们要想办法冲出去呀!”

小七副官说:“你领着士兵们往外撤,我来掩护你!”

“这怎么能成?还是你领着部队往外撤,我来掩护吧!”牛牛不想先撤。

小七副官着急地说:“你还不快走,你看这777名士兵还剩几个人了?”牛牛回头一看,啊呀,自己的士兵还剩下不到200人了。

牛牛把令旗向后一指,大喊一声:“跟我往外冲!”士兵们闻声就跟着牛牛边打边撤。由于小七副官的一部分士兵在后面掩护,牛牛终于冲出了包围圈。他正喘着气,迎面遇到了教育大臣。教育大臣把手一举说:“司令慢走,让我清点一下人数,看看损失了多少士兵,占总数的多

少？我回去好向国王汇报。”

牛牛一想，果然有理，便让教育大臣一一清点。不一会，教育大臣来汇报：“司令，正好还剩200名士兵。”说着开始做除法，$\frac{200}{777}$是冲出来的士兵数和士兵总数的比。教育大臣对着这个分数直发愣。

牛牛在一旁催促说：“你快点算啊。”

教育大臣摸着脑袋说：“我想把$\frac{200}{777}$这个分数约简。因为我不敢向七七国王汇报一个没经约简的分数。”

牛牛说，“这个分数不能约简。”

“你怎么知道的？”

牛牛说：“分子、分母必须有公因数时才能约简。这里 $200 = 2 \times 2 \times 2 \times 5 \times 5$，$777 = 3 \times 7 \times 37$，他们的质因数中没有相同的因数，因此，$\frac{200}{777}$不能再约简了。”

牛牛刚刚说完，小七副官也从包围圈里冲出来。小七副官问：“司令，你为什么还不走？”

“这位教育大臣非要把$\frac{200}{777}$约简不可，结果耽误了时间。”牛牛向小七副官解释。

敌人的骑兵追来了，为首的正是小八司令，他骑着一匹红马，挥刀向小七副官砍来，小七副官用手枪向上一迎，“咔嚓”一声，手枪被刀砍成两截。小八司令趁势一哈腰，把牛牛抱上马背，拍马转身就走。

“啊！司令被人劫走了！”小七副官大惊失色，立刻指挥士兵上前抢救。可是，已经来不及了，小八司令在其他骑兵的掩护下，越跑越远。

他就是八八国王

TAJIUSHIBABAGUOWANG

小八司令把牛牛放在马背上回到八八王国的王宫。八八国王听说七七王国的数学司令被抓来了，心里非常高兴，下令要亲自到王宫外面迎接。

王宫外挂上八个大红灯笼，又备了八个大鼓、八张大锣、八支小号、八面大旗。小八司令一下马，锣鼓齐鸣，好不热闹。这时牛牛被八八王国的士兵五花大绑，拉到一边。

随着锣鼓有节奏的敲打，从王宫内走出一队一队的士兵，每队士兵都是 8 名，一共走出了 8 队。最后才走出一个驼背老头，这个老头瘦得皮包骨头，满脸都是皱纹，最惹人注意的是他干瘪的嘴唇上面，留着两撇八字胡子。他头戴皇冠，穿着华丽，不用问，这就是八八国王。

小八司令向国王行了个军礼，高呼："国王万岁！"

八八国王用嘶哑的声音回答说："八八必胜！"然后又上前拥抱了小八司令。

八八国王斜眼看了牛牛一眼，轻蔑地问："这就是所谓七七王国的数学司令？"

小八司令高傲地说：“他过去是司令，现在是我的俘虏！”

八八国王“嘿嘿”干笑了两声说：“一个乳臭未干的娃娃，也当司令？笑话！把他带进宫去！”

牛牛被捉倒不觉得什么，可是八八国王这几句话，刺得他脸上一阵红、一阵白的。

他被卫士带进宫，但见宫内十分豪华，中间是一把用黄金制成的椅子，上面还镶着宝石。八八国王在椅子上坐下，小八司令站在国王的左侧，右侧站着一位头发花白的老将军，牛牛不认识，他就是被撤去司令职位的老八将军。

八八国王干咳一声说：“干嘛还绑着他呀？一个小孩还怕他跑掉？”士兵遵命给牛牛松了绑。

八八国王说：“小孩，你知道古希腊有位圣贤叫毕达哥拉斯的吗？”

“毕达哥拉斯？好耳熟。噢，记得有一本课外读物上介绍过这个人。毕达哥拉斯是2000多年前古希腊著名数学家，他独自发现了‘勾股定理’，对数学有很大的贡献。”牛牛心里在琢磨着毕达哥拉斯。

八八国王说：“毕达哥拉斯把自然数分成为两类，偶数是男人的数，奇数是女人的数。8是偶数，7是奇数，七七王国是个女人的国家，嘻嘻……”小八司令也跟着国

王一起笑。

牛牛心想："什么男人数、女人数，纯粹是胡说八道！"

八八国王擦了擦笑出来的眼泪，又接着说："再说，7是一个质数，不能再分解了。一个不能再分解的数还有什么发展，还有什么前途？可是，8却能分解成2和4，8有多好啊！"

八八国王见牛牛一直不说话，就笑着说："来，咱们来做个游戏。来人，来7名士兵。"7名士兵应声进入宫内，在八八国王面前整齐地站成一排。

八八国王站起来，走到牛牛跟前说："你也站到他们中间去，具体站在哪儿，你可以随便挑。我让你们8个人'一、二'报数，凡是报单数的一律下去，然后再重新报数，谁最后一个离开队伍，谁就胜利，得胜者有奖。"

打心眼里说，牛牛真不想做这个游戏，可是转念一想，八八国王如此看不起我，我倒要露一手给他瞧瞧，哼！想到这儿，牛牛就站到从左数起的第八个位置上。

“好！”八八国王高兴地喊“一、二报数！”

第一轮报数，牛牛站在第八个位置上报二，二是偶数，当然被留下了。这时下去 4 个人，还剩下 4 个人。

第二轮报数，牛牛又报二，这时又下去 2 个人。牛牛和另外一个人留下。

第三轮报数，牛牛还是报二，报一的士兵下去了，只留下牛牛一个人。

“好极啦，好极啦！这个小孩还挺聪明。来，发给你奖品。”说着，八八国王把一盒精装巧克力糖，塞到牛牛手里。

牛牛把巧克力糖放到地上，心想，这么简单的问题还想难倒我，没门儿！

八八国王高兴极了，他说：“七个士兵都被淘汰，只有站在八号位置上的这个小孩，取得了胜利。这说明什么啊？”

小八司令在一旁大声说道：“七七必败，八

八必胜嘛！”

牛牛心想，噢，他们玩这个游戏的真实目的原来在这儿！牛牛真是又好气又好笑。

八八国王回到金椅子上坐下，笑眯眯地对牛牛讲：“我说你这个小孩，圣人的话不可不听，游戏的结果不可不信。这一切都说明八好七不好，我劝你还是归顺我们八八王国吧！凭你的数学能力，还怕将来当不了大官？”

牛牛最讨厌把他叫小孩了。他自信自己是七七王国的带兵司令，是堂堂的男子汉，怎么被人叫小孩，多难听！

八八国王见牛牛始终一言不发，就摆摆手说：“这个小孩，可能一时还想不通，带他去休息一下，让他冷静地考虑一下我的问题。”

牛牛突然大声说道：“请问八八国王，谁是小孩？我是数学司令！我叫牛牛！请不要叫我小孩好吗？”

“好、好。”八八国王满脸堆笑地说，“数学司令，实在对不起。请司令下去休息，发挥你的数学特长吧！”

牛牛被两名士兵押送到一座戒备森严、墙高宅深的大院。他想，这一定是监狱。没想到走到大门一看，大牌子上写着“数学俱乐部”。

“数学俱乐部？活见鬼！”

牛牛正想着，士兵拉开圆门，把他推了进去，“咣当”一声把门关上了。

数学监狱
SHUXUEJIANYU

牛牛推了推圆门纹丝不动，知道出不去了。他一回身，猛地发现一名士兵站在背后，把他吓了一跳。

士兵很有礼貌地对牛牛说："刚接到通知，知道数学司令到数学俱乐部来，欢迎，欢迎！"

牛牛觉得这个士兵挺和气，就问士兵："这个地方是数学俱乐部呢，还是监狱？"

士兵彬彬有礼地回答，"正确地说，应该叫做'数学监狱'。"

"数学监狱？"牛牛觉得这个词儿挺新鲜。

"对，叫它数学监狱，是因为在这所监狱中，你的一举一动都要和数学发生关系。"

"真有点意思。"牛牛自言自语地说。

牛牛正想着，不觉已到了中午，他饿得肚子"咕咕"叫，便问士兵："什么时候开午饭？"

士兵带牛牛到一间小屋子里，说："这里是饭厅，你随

时都可以吃饭。"说完士兵转身走了。

屋里只有一张桌子和一把椅子,看样子是专为他一个人准备的。可是除此以外,别的什么也没有。吃什么呀?牛牛一屁股坐到了椅子上。

说也奇怪,牛牛刚一坐下,桌面就自动翻了个身。桌子的背面有张菜单:

"◎红烧鱼 = 0.01,　◎馒头 = 0.25,
◎炒芹菜 = 0.37,　◎米饭 = 0.17,
◎煎丸子 = 0.11,　◎面包 = 0.09,
◎鸡蛋汤 = 0.58,　◎粥 = 0.06。
◎炒白菜 = 0.27,
◎ = 1"

牛牛一看,菜单上什么都有,心里挺高兴, 就大声叫道:"我来一个红烧鱼、一个煎丸子、一个炒芹菜、一个面包、一碗粥。" 可是牛牛叫完了饭菜,半天没人理他。他又叫了一遍,还是没人理他。

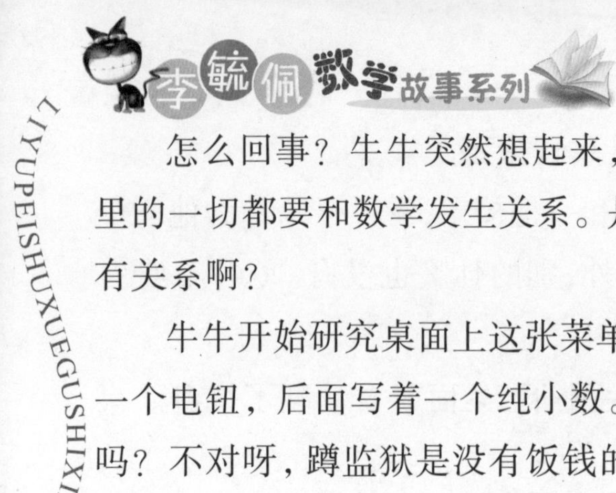

怎么回事？牛牛突然想起来，刚才那个士兵说过，这里的一切都要和数学发生关系。是不是吃饭也要和数学有关系啊？

牛牛开始研究桌面上这张菜单，发现每个菜名前都有一个电钮，后面写着一个纯小数。这些小数是代表菜价吗？不对呀，蹲监狱是没有饭钱的。另外，红烧鱼是1分钱，鸡蛋汤却要5角8分钱，这不可能！

牛牛心想，一定是你想吃哪个菜，就按它前面的电钮。于是，牛牛依次按下红烧鱼、煎丸子、炒芹菜、面包、粥的电钮。等了一会儿，还是没动静。牛牛往下看，发现在菜单的最下面，还有一个红色电钮，这个电钮右边画个等号，又写了一个“1”。

“怎么电钮会等于1？”牛牛随手按了一下这个红色电钮。这一按可不得了，椅子面来了个大翻身，把他重重地摔倒在地上。

“哎哟，摔得真疼呀！”牛牛爬起来，一边捂着屁股，一边用脚狠狠地踢了下椅子。椅子又恢复到原样。

牛牛捂着摔疼的屁股，突然一拍大腿说：“哈，我知道了！原来这每一种饭菜都用一个小数来代替，当你点的饭菜总和恰好等于1时，才能给你上菜；如果要的饭菜总

和不等于1,他就会翻椅子摔你。"

牛牛计算了一下,刚才要的饭菜数:

红烧鱼+煎丸子+炒芹菜+面包+粥

$= 0.01 + 0.11 + 0.37 + 0.09 + 0.06$

$= 0.64$

牛牛笑了,心想还差0.36不到1。看来,要先算,后按电钮。经过一番计算,牛牛选择了如下饭菜:

红烧鱼+鸡蛋汤+米饭+面包+粥+面包

$= 0.01 + 0.58 + 0.17 + 0.09 + 0.06 + 0.09$

$= 1$

虽说牛牛吃不了这么多东西,但为了凑足整数1,他不得不这么做。当他按下红色电钮时,桌面又翻了个身,上面出现了牛牛所要的饭菜。

牛牛大吃了一顿。他吃饱了想找个地方休息一下,于是大声叫道:"士兵,士兵,我想休息。"

士兵赶来说:"请跟我走。"说着领牛牛到了另一间空荡荡的屋子里。

牛牛问:"床在哪?难道叫我在地上睡?"

士兵指了指上面。牛牛抬头一看,嘿,真怪!床吊在屋顶下面呢!

牛牛摸着脑袋问:"这……我从哪儿爬上去呀?"

士兵指了指门后,就转身走出去了。

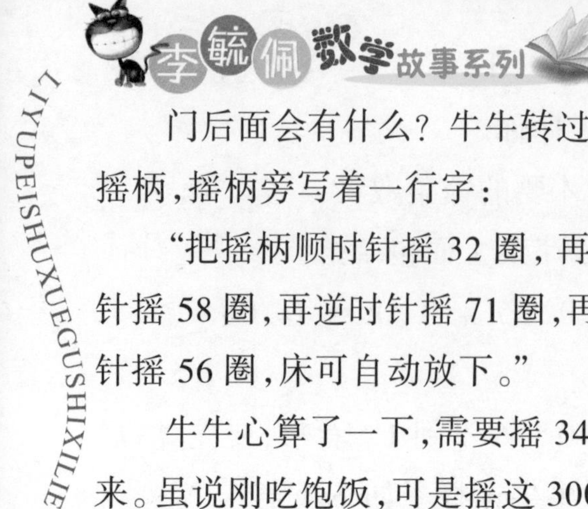

门后面会有什么？牛牛转过身一看，发现门后有一个摇柄，摇柄旁写着一行字：

“把摇柄顺时针摇 32 圈，再逆时针摇 45 圈，再顺时针摇 58 圈，再逆时针摇 71 圈，再顺时针摇 83 圈，再逆时针摇 56 圈，床可自动放下。”

牛牛心算了一下，需要摇 345 圈，才能把这张床摇下来。虽说刚吃饱饭，可是摇这 300 多圈也确实够累劲。他真想睡一觉，没办法，只好摇吧。

牛牛刚刚握住摇把，突然灵机一动。会不会逆时针摇一圈，再顺时针摇一圈，这相反的两圈互相抵消了呢？如果真能抵消，我何苦摇 300 多圈呢？我先算算再说。把顺时针转的圈数都相加，再减去逆时针转的圈数：

$$32 + 58 + 83 - 45 - 71 - 56 = 1$$

计算结果表明，摇 300 多圈相当于顺时针摇一圈。我摇一

圈试试。

牛牛把摇柄顺时针摇了一圈，过了一会儿，床慢慢就落下来了。床上被子、枕头都有，牛牛爬上床就呼呼睡着了。

不知睡了多久，他被士兵叫醒了。士兵给他端来一杯茶。牛牛觉得士兵对他挺好，就和士兵闲聊："你姓什么？"

"姓机。"

"姓姬。是有姓姬的。"牛牛又问，"你家住在哪儿？"

"工厂。"

"工厂？"牛牛觉得挺奇怪，接着又问："你有兄弟姐妹吗？"

"有。每一批100多个。"

"啊！兄弟姐妹一批100多个。这是怎么回事？"牛牛惊奇地看着这名士兵。突然发现这个士兵不会眨眼睛。人长时间不眨眼睛是受不了的。

牛牛猛然想起昨天与小八司令决战，八八王国派出了一大批机器人士兵。牛牛问："你是机器人吗？"

士兵回答："我是机器人士兵238号。"

叫一个机器人来看管我，难道不怕我逃走？牛牛有了逃走的念头。

机器人238号突然对牛牛说："八八国王让你马上去王宫。"

智力比赛

ZHILIBISAI

牛牛来到了王宫。八八国王笑嘻嘻地对他说："小孩。不、不，应该叫数学司令。你吃的、睡的都好吧？只要数学好，在那里住着还是挺舒服的。"

牛牛仍然不说话。

八八国王站起来说："我非常爱惜人才。听说你昨天和小八司令在阵前斗智，小八司令没有占上风。他很不服气，要和你再来一次斗智。题目嘛，由我出，你敢和小八司令再斗一次吗？"

牛牛想，小八司令根本就不是我的对手。牛牛点了点头。

"好！痛快。我来出第一道题，咱们采取抢答的方式，就是说谁会答，谁就抢先答。答对了给两分，答错了倒扣一分。"八八国王说完，从一个金盒子里抓了一把东西。

八八国王说："我两只手一共抓了 15 颗珍珠，谁知道我哪只手里拿的是 7 颗，哪只手拿的是 8 颗？"

小八司令看了看牛牛，牛牛看了看小八司令，两个人

谁也没说话。

八八国王问:“你们两个人都不会答？”

牛牛开口了,他说:“这样猜等于胡猜！”

“你想怎么猜？”八八国王想知道牛牛有什么高招。

牛牛说:“把你左手的珍珠数乘以 2，再加上右手的珍珠数，你告诉我这个得数是奇数还是偶数。我就可以解答你提出的问题。”

“可以,可以。”八八国王略想了一下说,“是个偶数。”

牛牛立刻答道:“左手拿的是 7 颗珍珠。”

八八国王伸开左手一看,果然是 7 颗珍珠。八八国王说:“数学司令果然名不虚传,你能讲出其中的道理吗？”

牛牛说:“道理很简单。你左手拿的是 7 颗珍珠，7 乘以 2 得 14，是个偶数。再加上你右手拿的 8 颗珍珠，也是偶数,它们的和也就是偶数了。”

八八国王问:“如果我右手拿 7 颗，左手拿 8 颗又会怎么样呢？”

牛牛说:“8 乘以 2 得 16，16 加 7 一定得奇数。如果最后得数是奇数,就说明你左手拿了 8 颗珍珠。”

“对、对！给数学司令记上两分。”八八国王眼珠一转说,“你们听我的第二道题。在一分钟内,用 8 个 8 凑成 1000，容许使用四则运算及大、中、小括号。可是要凑出 4 个 1000 来。”

牛牛最讨厌8了，这里有8个8，心里就更讨厌了。可是小八司令特别喜欢8，他很快就凑出了4个1000

$(8+8)\div 8\times(8\times 8\times 8-8)-8=1000$，

$[(8+8)\times 8-(8+8)\div 8]\times 8-8=1000$，

$888+88+8+8+8=1000$，

$(8888-888)\div 8=1000$。

牛牛从心里佩服小八司令使用8的熟练程度。

"好，好。给小八司令也记上两分。"八八国王高兴得原地直搓手。

八八国王说："由于你俩比了个二比二，我还要出第三道题。这可是关键的一道题啊！来人，把宝盒捧出来！"

八个卫兵捧出8个宝盒，一字排开放到桌子上。

八八国王指着8个宝盒说："这8个宝盒每个宝盒都有8颗宝珠……"

"慢着。"牛牛打断了八八国王的话，说："八八国王你不要欺人太甚，你明明知道我是七七王国的司令，你却接二连三地出全是数字8的题目，这不是有意帮助小八司令吗？"

"不、不。我没有这个意思。由于我偏爱数8，一出题就离不开8。"八八国王一挥手说，"这样吧，咱们既不出7也不出8，出9总可以吧。"

八八国王命令士兵把8个宝盒换成9个宝盒。八八

国王说："这每一个宝盒里都有 9 颗宝珠，但是其中有一盒宝珠全是假的。"

牛牛问："怎么能说明这些宝珠是假的呢？"

"真宝珠每颗重 25 克，假宝珠每颗重 30 克。"八八国王走了几步说，"我要求你俩用秤把这盒假宝珠挑出来，但是只许用秤称一次。"

八八国王说完坐到宝座上，眯着眼看着牛牛和小八司令。

小八司令走到宝盒前，打开全部盒子仔细看了看。从外观看，这些宝珠没有什么差别。他又拿起宝珠掂了掂，也没发现有什么不同。小八司令挠了挠头，又回到了原地，看来小八司令对这个问题是束手无策了。

八八国王用轻蔑的眼光看着牛牛，意思说，你有办法解决吗？你解决不了就算输给我八八国王啦！

这个问题真够难的，牛牛心里琢磨了几个解决办法，可是再深入一想，又都不成。

八八国王探着身子问："数学司令应该有好办法吧？"

既然八八国王说这样的话,不上去是不成了。牛牛硬着头皮往前走,边走边琢磨。突然,他灵机一动,办法想出来了。他从第一盒中拿出 1 颗宝珠, 第二盒中拿出 2 颗宝珠,这样依次拿下去,第九盒中拿出 9 颗宝珠,总共拿出了 45 颗宝珠。

牛牛把这 45 颗宝珠全放到秤上称了一下,共重 1150 克。牛牛立即指着第五个宝盒说:“这盒中的宝珠是假的。”

八八国王说:“说出道理来! ”

“我总共拿出 45 颗宝珠, 如果这 45 颗都是真宝珠, 总重应该是 1125 克。” 牛牛环视了一下周围说, “现在称出来的重量是1150 克, 多出来 25 克, 说明这里面有 5 颗假宝珠,而这 5 颗假宝珠,是取自第五个宝盒中。”

在场的文武官员都暗暗佩服牛牛聪明。小八司令不信,从第五个盒子取出一颗宝珠一称,果然是 30 克。

小八司令很不服气, 回头对八八国王说:“请陛下再出一道题行吗? ”

牛牛争辩说："八八国王已经说这是最后一道题了，身为国王不能说话不算数！"

"这个……"八八国王也觉得再出题不太合适，就摆摆手说："算了吧，今天就比到这儿。由于今后还要比赛，今天就不计算谁输谁赢了，把数学司令押回去吧！"

"哼！"牛牛一转身就走了出去。

机器人888号

JIQIREN888HAO

牛牛被押回数学监狱，238号机器人继续看守着他。

“已经被捉两天了，可不能总关在这儿呀！”牛牛心里直着急。要想办法逃出去！

可是，怎样逃呢？首先，要降服这个238号机器人，然后想办法打开数学俱乐部的圆门。从此，他就处处留心238号机器人有什么特点。

一天早上，牛牛为了试试机器人238号的力气，提出要和它摔一交。他弯腰抱住238号的一条腿，想来个“抱腿摔”。可是，238号的这条腿，就像埋在地里的木桩，你休想挪动它。相反，238号机器人稍一用力，就把牛牛按到了地上。

牛牛这一交虽被摔败了，但他无意中发现机器人的后背上有一组电池。“啊！机器人离不开电源，我要把它的电源切断，它不就失灵了吗？”想到这儿，他又一次扑了上去。

牛牛搂住238号机器人的腰，趁势把手伸进它的衣服里，摸到一根电线。这时238号机器人把牛牛的双腿抱了起来，牛牛这时是两脚悬空，幸好牛牛正抱着它的头。238号机器人双手一使劲就要把牛牛摔到地上，牛牛急了，使劲一拉电线。电线断了，238号机器人抱着牛牛的双腿一动不动地停在那里。

牛牛长长地出了一口气，238号机器人总算失灵了。牛牛想把双腿从它的怀里拔出来，但不管他如何用力，也拔不出来。

"我不能总这样悬在半空啊！"牛牛又撩开机器人的上衣，看看里面还有什么"机关"没有。经过寻找，发现它的前胸有一个很小的电钮，牛牛试着用手按了一下。

牛牛这一按电钮可不得了，238号机器人的两眼不断闪着红光，嘴里还不断地喊着："快来人，我断电了！快来人，我断电了！"

听到喊声，不一会小八司令带着士兵来了。他们七手八脚地帮238号机器人接好电源。

小八司令问机器人238号是怎么回事，机器人把刚才发生的事说了一遍。小八司令把它训了一顿，就带着士兵走了。到了门口，他打开门旁的一个小盒子，在里面按了几下，门自动打开了。他忽然又想起了什么，回头对一个士兵说："你也留下。"然后出门走了。

牛牛怏怏地看着小八司令出去。屋里又留下了一个士兵。他想这个士兵多半也是一个机器人。于是上前问："你也是机器人吧？"

新留下的士兵回答说："是的。我是机器人 888 号。"牛牛和机器人 888 号说着话，慢慢走近门旁的小盒子，想看看里边有什么奥秘。机器人 888 号拦住他，不让靠近。

吃过午饭，牛牛发现两个机器人一左一右，形影不离地监视着他。看来是加强了对他的防范。

牛牛对机器人 888 号说："我说 888 号，你能摔得过 238 号吗？238 号力大无穷，我是它手下的败将。"

888 号说："我是八八王国中最优秀的机器人，我的 888 号是八八国王亲自命名的。你要知道，机器人的号码中，8 越多说明这个机器人越优秀。它是 238 号，号码中只有一个 8，比我少两个 8 哪！"

牛牛摇摇头说："空口说白话，谁会相信你呢？"

"不信，我就和它比试比试。"说着两个机器人摆好了决斗的架式。

DIYICITAOPAO

第一次逃跑

牛牛大喊一声:“开始!”两个机器人相互扭在一起。机器人不会摔交，只是用手使劲把对方往地下按。由于用力过大,它们的四肢发出“咯咯”的声响。

牛牛不断地喊加油,给它们鼓劲,身体却往前靠。他把双手搭在它们的背上，冷不防手伸进它们的衣服里,“唰、唰”两下,把电源线拉断,霎时,两个机器人就停住不动了。

牛牛趁机跑到大门口,打开小盒子一看,发现里面有九个带数字的电钮,而且它们之间还有运算。

②×⑦⑧=①⑨⑥=③④×⑤

牛牛仔细一看,里面等号两边的数都不相等啊!

这是怎么回事？他再一琢磨，哦，原来是必须把等号两边的数，调整为相等时，这个门才能打开。

一开始，牛牛想把所有的电钮都拔下来重排，但转念一想，不如调整一下更简单。不过保留哪几个数呢？保留中间数的百位数字 1，个位数字 6。这样一来，左边乘法式子中的 8 保留不动，7 和 2 也可以保留不动了。

关键是调整右边式子中的各位数字。为了使乘积的个位数字是 6，必须把 9 和 5 互换一下。调整之后，右边变成 34 × 9。这个乘积是 306，不等于 156。怎么办？再把 4 和 9 互换一下，39 × 4 = 156，这一下就成了。算了一下，总共才调整了二次。

②×⑦⑧=①⑤⑥=③⑨×④

牛牛刚刚调整好电钮，门自动打开了。他赶紧出了大门，撒腿就跑。可是他发现整个外院是座大迷宫。

“走走试试吧。”牛牛想了一会，决定沿着左边往前走，

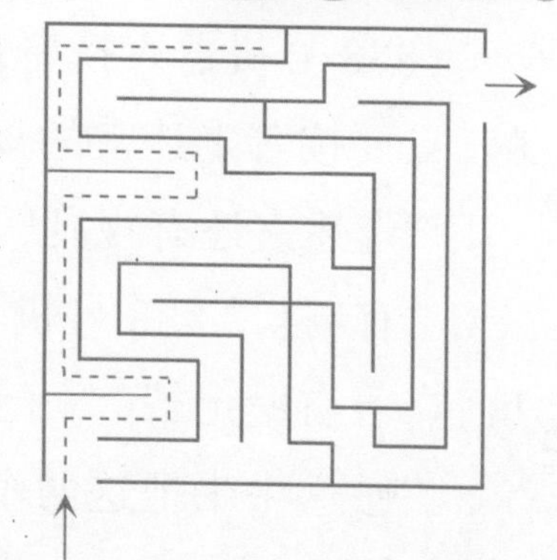

拐了一个弯儿，又拐一个弯儿。七拐八拐，结果走进了死胡同。没办法，他只好沿原路退回来。但这时太阳已经落山了。天一黑下来，这迷宫就更不好闯了，牛牛只好先回数学监狱，等明天再说。

他真没想到，返回的路线却非常容易。他一走近大门，那大门就自动打开，屋里那两个机器人还互相拉扯着，站在那里。牛牛赶紧又给它俩接通了电源线，两个机器人还要摔下去。牛牛说："别再摔了，天都黑了，明天再比吧。"

不一会，牛牛对888号机器人说："你一定是一具非常聪明的机器人？"

888号机器人听了，得意地说："当然，在八八王国的所有机器人中，我是最聪明的。"

牛牛在纸上画了一张迷宫图，又说："既然这样，你会走这个迷宫吗？"

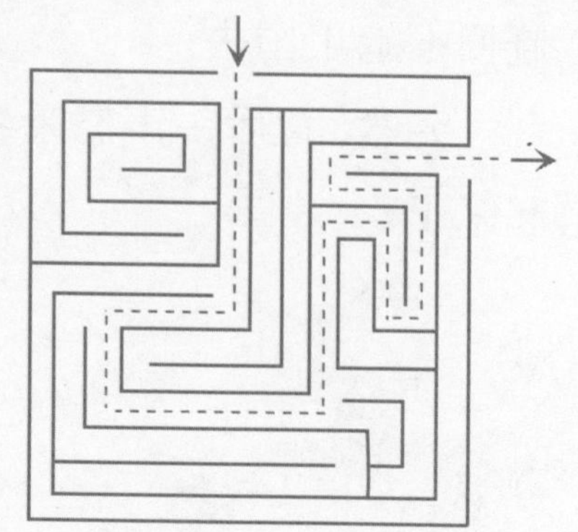

"会走。"888号很快就画了通往出口的道路（图中画虚线的道路）。

牛牛惊讶地问："你怎么这么快就找到了出口？"

888 号机器人指着自己的头说："我脑袋里装的是电脑，只要按着走迷宫的规则一算，就能找到出口。"

"走迷宫还有规则？"

"有啊！"888 号机器人说，"碰壁回头走；遇到岔路口，靠着右壁走。"

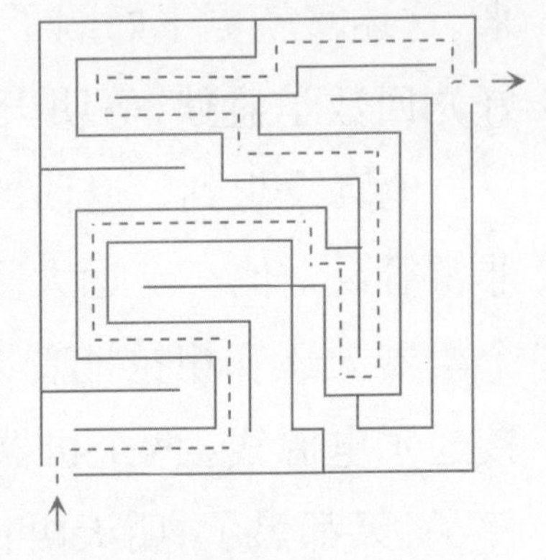

"嗯。"牛牛把这两个原则默默地记在心中。

第二天吃过早饭，牛牛又鼓动机器人摔交，趁他俩摔得正激烈的时候，和昨天一样，拉断了它俩的电源线，逃了出去。

一闯进迷宫，牛牛就小声念叨："碰壁回头走；遇到岔路口，靠着右壁走。"三转两转，真还转出了迷宫。这时候，牛牛心里就甭提多高兴了。

出了迷宫，外面美极了，青翠的树林、碧绿的草坪，小鸟在枝头歌唱，鲜花在路边开放。牛牛跑啊，跳啊，急着赶回七七王国去。

突然，背后一声怒吼，牛牛回头一看，吓得头发都竖起来了。

被野兽包围

BEIYESHOUBAOWEI

原来两头雄狮，张着血盆大口怒吼着，向牛牛扑来。怎么办？跑吧，往哪儿跑？眼前连棵树也没有；不跑，不跑就等着被狮子吃掉。他正踌躇，对面又冲来了一群狼。

“这些会不会是机器狮子和机器狼呀？”牛牛知道八八王国善于制作各种机器玩意儿。

狮子和狼两面夹攻，步步逼近，牛牛不断往后撤。撤着撤着，就撤到迷宫的出口了。他急中生智：“我为什么不带它们进迷宫里去呢？”他沿着刚才出迷宫的道路，三转两转，把一群狼都给转迷了路。但是，两头狮子在后面紧追不舍。

牛牛又跑回了屋里，把狮子关在大门外。他累得上气不接下气，一回头看见机器人 238 号和 888 号，还呆在那里。

牛牛灵机一动，给两个机器人接通电源，对它们说：“门外来了两只大狮子，要进来吃咱们。”

两个机器人闻声，冲出门外，对准两头狮子，一对一地打了起来。

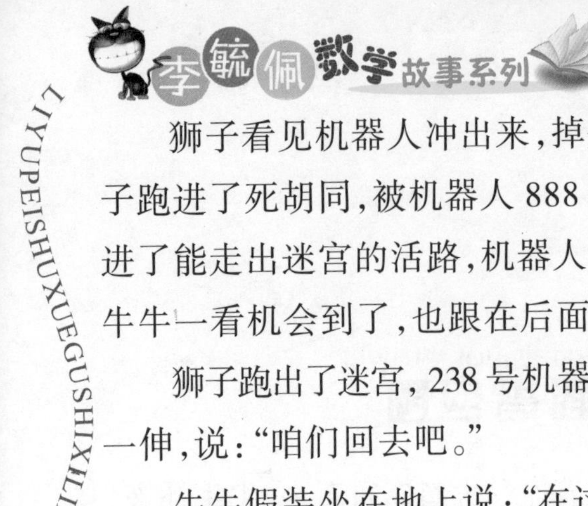

狮子看见机器人冲出来，掉头就往迷宫里跑。一头狮子跑进了死胡同，被机器人 888 号打死了；另一头狮子跑进了能走出迷宫的活路，机器人 238 号在后面穷追不舍。牛牛一看机会到了，也跟在后面猛跑。

狮子跑出了迷宫，238 号机器人便停止了追赶，它双手一伸，说："咱们回去吧。"

牛牛假装坐在地上说："在这儿休息一会儿。我走不动了。"牛牛嘴里这样回答，可心里在打主意，如何逃走。

休息一会后，牛牛假惺惺地问："888 号机器人真的比你聪明吗？"

238 号机器人说："我和它没比试过智力。"

"我看你的电脑功能不比它差，可你比他少两个 8 哪！"牛牛说，"这样吧，我出三道题，你如果都能答对，就证明你的智力不比 888 号机器人差。"

"好吧，请出题。"238 号机器人真想试试。

牛牛眼珠一转说："不过，你如果答错了，我可要打你屁股 3 下。"

238 号机器人说："打 30 下也行，反正我不觉得疼。"

"我的第一个问题是，"牛牛伸出一

个手指头说，“有一个1000位的大数，它的每一位上的数字都是1。如果这个大数被7除，问你余数是几？”

238号机器人似乎不假思索地回答：“余数是5。”

“啊！”牛牛惊奇地问，“你怎么算得这样快啊？用什么办法算的？”

238号机器人说：“我用1000个1直接被7除，得出来的。你呢？你是怎么算的？”它接着反问道。

“我是这样算的。首先，我试除一下，看看最少由几个1组成的数，可以被7整除或产生循环。我发现最少要由6个1组成的6位数，可以被7整除。”说着牛牛列了个算式：

$$\begin{array}{r} 15873 \\ 7\overline{)111111} \\ \underline{7} \\ 41 \\ \underline{35} \\ 61 \\ \underline{56} \\ 51 \\ \underline{49} \\ 21 \\ \underline{21} \\ 0 \end{array}$$

238号机器人点点头说：“对，对！”

牛牛又说："那么1000位中有多少段这样的6位数呢？最后剩几位哪？这也要做个除法。"

$$
\begin{array}{r}
166 \\
6\overline{)1000} \\
6 \\
\hline
40 \\
36 \\
\hline
40 \\
36 \\
\hline
4
\end{array}
$$

"照这样算下来，总共有166段这样的6位数，最后还剩下由4个1组成的4位数。这个问题所要的余数，就是1111被7除的余数，这个余数是5。"

238号机器人点点头说："你们人类所想的办法，就是比我们高明。"

牛牛接着出第二道题。他想这次给它出一道判断题试试。于是说："我们院子里有三户人家，每家都有一个小孩。两个女孩，一个叫小红，一个叫小芹；一个男孩叫小虎。孩子们的爸爸是王叔、张叔、陈叔，妈妈是刘婶、李婶、方婶。"

238号机器人问："还有什么条件吗？"

牛牛说："还知道以下三个条件：

1. 王叔家和李婶家的孩子都参加了女子排球队；

2. 张叔的女儿不是小红；

3.陈叔和方婶不是一家。

你判断一下,哪三个人是一家?”

238号机器人不假思索,张嘴就说:“张叔、李婶和小芹是一家;王叔、方婶和小红是一家;陈叔,刘婶和小虎是一家。”

“你做判断也这么快?”牛牛又很惊奇。

238号机器人说:“我这个电脑是计算快,判断也快。”

“我提最后一个问题。”牛牛嘴里虽然这样说,心里真没了主意。提什么问题能把它难倒呢?他突然一拍大腿,在地上写了一句话“这句话是错的。”然后对238号机器人说:“你来判断这句话是否正确?”

看着这句话,238号机器人半天没有回答。

牛牛问:“怎么回事?你为什么不说话?”

238号机器人说:“如果我判断‘这句话是错的。’那么这个句子是对的,我应该说‘这句话是对的’,这里所说的‘这句话’指的是你写的句子;如果我判断‘这句话是对的。’,那么‘这句话是错的’这句话本身就错了,我应该说‘这句话是错的’这里所说的‘这句话’还是指你写的句子。不管我做什么判断,都会产生矛盾。”

“哈,哈!做不出来,该我打你屁股板了吧?”牛牛高兴得眉飞色舞。

238号机器人乖乖地转过身去,说:“我甘愿受罚。”

牛牛趁 238 号机器人背过脸的机会，伸手拉断了它后背的电线，然后再一次逃出迷宫，朝七七王国奔去。

正当牛牛站在一条多岔路口彷徨失措时，一匹快马从树林里冲出来，马上骑的是老八将军，牛牛想躲已经来不及了。

老八将军很客气地问："数学司令，你怎么走到这儿来了？这块地方是八八国王的动物园，常有野兽出没，很危险呐！"

牛牛见老八将军没恶意，就回答说："我想回七七王国去，可是迷失了方向，老将军能帮帮忙吗？"

"这个……"老八将军有点为难。你说告诉他吧，牛牛可是个敌对国的司令；不告诉他吧，老八将军对小八司令的骄横非常不满意，特别是他逮住牛司令后，那股骄横劲更足了。我何不现在放了牛司令，给小八司令设置一些障碍呢？

于是老八将军考虑一下说："既然你是数学司令，我就给你出一道题吧。你回去的路线就在这答案之中。你听着，你先向东走

1000 米，再向北走 200 米，向西走 300 米，向北走 100 米，最后向西走 700 米就到边界了。”

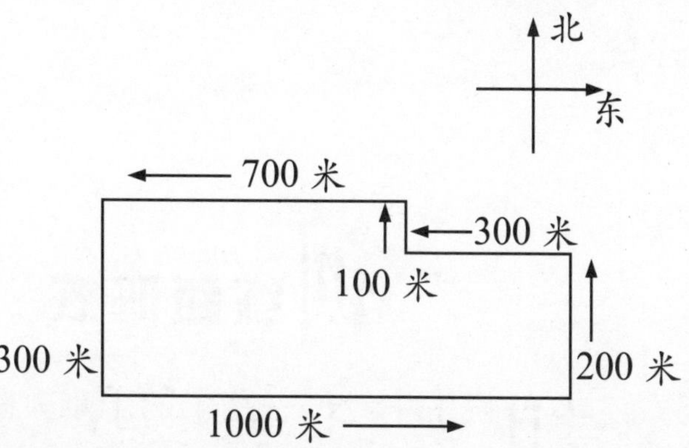

“谢谢您，我走啦。”牛牛向老八将军行了个礼，转身就往北走。

“回来！回来！”老八将军叫住了牛牛说，“我告诉你先往东走。你怎么往北走了？”

牛牛笑着说：“老八将军，你出的题目，我算出来啦。你说了半天，其实我往北走 300 米就是了。我急着回七七王国，哪有时间听你的话绕大圈子呐！”

“哈哈！”老八将军跷起大拇指说，“数学司令果然聪明，我祝你一路平安。”说罢，拨转马头就走。

牛牛告别了老八将军，一路连奔带跑，往北而去。

训练新阵式

XUNLIANXINZHENSHI

却说牛牛经过一路上的千难万险，终于回到了七七王国。七七国王设宴欢迎牛司令安全归来。

在宴会上，牛牛红着脸，半天没吭声。小七副官小声对牛牛说："大家这样欢迎你，你就讲两句吧！"

"这次打了败仗，责任全在我。因我没听小七副官的话，中了敌人的圈套，我真后悔！"说着牛牛呜呜地哭了。

"胜败乃兵家常事嘛，咱们只要接受教训，加紧练兵，再打胜仗也不难。司令，你可千万别哭。"说着七七国王掏出手绢，亲自给牛牛擦眼泪。七七国王这样一来，弄得牛牛更加不好意思。他说："小八司令欺人太甚，我一定要训练新阵式，打败他们！"

"好！"七七国王跳起来，竖起大拇指说，"好样的，有信心就一定能胜利！"

开过宴会，牛牛就和小七副官一起研究新阵式。小七副官说："三角形队列进攻是非常得力的，只是背后怕人家攻击。"

牛牛说："三角形队列，前面是尖，后面是边。尖是适合猛插的，可是边就容易受到攻击。"

"嘿，咱们能不能多搞它几个尖，减少边的长度？"小七副官提了个问题。

"三角形是三个尖，数学上叫三个顶点，如再增加一个顶点就变成了四边形。四边形有四条边，这种队形不大适于进攻。"牛牛说，"打仗可不能只守不攻啊！"

两个人从三角形，谈到四边形、五边形、六边形，一直谈到圆形。

小七副官一拍大腿说："咱们就排它个圆形阵吧，圆乎乎的多好玩，用它进——可以攻；退——可以守，多好。"

"好是好啊，七七国王是不是只给咱们 777 名士兵？"牛牛接受了前一次教训，现在考虑问题就特别仔细。他说："这么几个士兵只能排一个很小的圆阵。"

小七副官不大明白，他问："为什么同样是 777 名士兵，排成别的形状就大，排成圆阵就小呢？"

牛牛打了个长长的哈欠，对小七副官说："咱们明天到操场上实际操练一下，你就明白了。"说完各自去休息了。

第二天一早，牛牛穿戴整齐，由小七副官陪同，来到操场。777 名士兵排成 37 人一排，一共 21 排，已在操场站好。

不一会，只见七七国王带着大臣们也来了。

牛牛向国王致意后，拿起令旗，对士兵说："你们现在排成的是长方形阵。这个长方形阵的长边有 37 人，宽边有 21 人。咱们还能排成长边有 259 人，宽边只有 3 人的长方形阵，名叫'长蛇阵'。"牛牛令旗一挥，士兵们就按 259 人一行排成三行。

七七国王小声问："这不像长蛇，倒像条木棍。"牛牛并不答话，又把令旗一挥，队伍开始摆动前进，远处看去果然像条长蛇。

七七国王拍手称赞说："真像条活蛇！"

小七副官小声问牛牛："你怎么不排成个正方形阵？正方形阵方方正正的多有气派！"

"不成啊！"牛牛摆摆手说，"正方形阵的长边和宽边相等，要求组成正方形的人数，恰好是一个整数的自乘积。可是 777 不是一个整数的自乘积啊！"

"司令，别那么死心眼，少几个士兵也成啊！他们这些大臣都喜欢方方正正的队形。"小七副官极力鼓吹牛牛排正方形阵。

牛牛对小七副官说:“你快给我算算,哪个数自乘积,最接近 777 。”小七副官从 2 乘 2 得 4 、 3 乘 3 得 9 开始算,算了半天才算出 27 × 27 = 729 。777 - 729 = 48 。

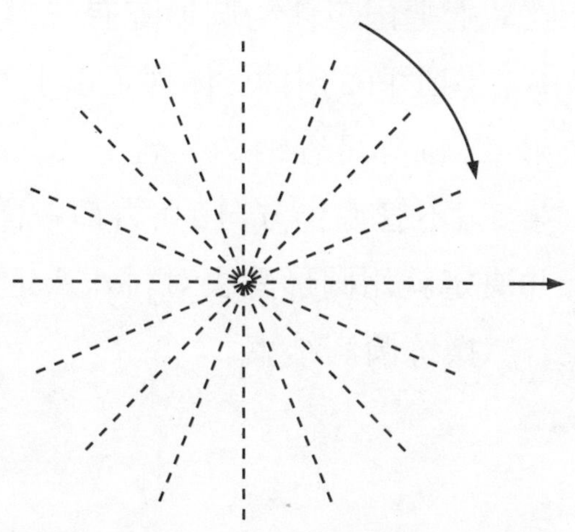

小七副官小声告诉牛牛:“每边 27 人,共用 729 人,多出 48 人。”牛牛立即调出 48 人,让其余的人排出一个方阵。

果然不出小七副官所料,众大臣一看见正方形阵,一起站起来欢呼。

小七副官得意地对牛牛说:“司令,你要能排出圆形阵,大臣们准会欢跳起来。”

牛牛心算了一下,大步走到操场中央,要士兵以他为中心,呈放射形向外排出 16 条半径,每条半径是 48 名士兵,总共是 48 × 16 = 768 名,只多出 9 名士兵。

牛牛令旗一举,整个圆旋转着向前移动,远远望去,犹如一个向前滚动的大车轮。

“妙极了!”七七国王带头欢呼起来,众大臣也跟着叫好,霎时,指挥台上一片鼓掌声。

七七国王认为圆形阵有三大好处。他说："第一，司令在圆形阵的中央，体现了以牛司令为中心的作战体系；第二，圆阵可容纳 768 名士兵，最大限度地使用了兵力；第三，不管哪个方向，兵力都一样多，没有薄弱的地方。"并决定就用圆形阵去对付八八王国。

操练圆满结束。

化装侦察

HUAZHUANGZHENCHA

虽说七七国王把圆形阵夸奖了一番，可是牛牛心里没底，因为上次失败对牛牛的教训可太大了。

回到休息室，牛牛问小七副官："你说这圆形阵能打败八八王国吗？"

"我也没有把握。"

"不成。"牛牛激动地说，"被八八王国抢走的土地财产，咱们没有能夺回来。这一仗咱们只能打胜，不能打败！"

小七副官说："小八司令鬼主意挺多。你从八八王国逃了出来，说不定他又在出什么新点子了，咱们可猜不着。"

"我想上次八八王国派来了个特务，把咱们操练三角形队列的情报给弄走了，结果打了败仗。这次咱俩也不妨去他们那里侦察一下，摸摸他们的底牌。"牛牛说。

"好主意！"小七副官说："咱俩来个化装侦察怎么样？"

"好。八八王国有许多机器人士兵，咱俩化装成那个样，你是 238 号，我是 888 号。"牛牛说着，叫小七副官弄来两套八八王国的军服，两个人穿戴整齐，坐车来到两国边界。

天渐渐黑了，趁着夜幕，牛牛和小七副官悄悄下了车，学着机器人走路的样子，朝边界走去。

进入了八八王国的边界，前面是一片大草原，牛牛想起遇到狮子和狼那件事。顿时紧张起来。他小声对小七副官说："小七，这一带有野兽，要留神！"两人谁也不说话，紧张地走了一大段路。

什么也没发现，周围很安静。小七副官说："司令，昨天晚上你说，同样多士兵排成三角形或四边形就大，而排成圆形就小，这是什么道理？"

牛牛说，"老师给我们讲过，用一定长度的绳子来围成一个图形，比如说可以围成一个三角形、四边形、五边形、圆等等。这里面就数圆所围得的面积最大。"

"面积大有什么用？"小七副官还是不懂。

牛牛耐心说："如果有各种各样的图形，它们的面积都一样大，那么就数圆的周长最短。假设士兵们的相互距离都一样大，就数圆形阵最外面一圈的士兵数最少。"

"噢，原来如此。"小七副官终于弄懂了。

突然，从黑暗中冲出两名八八王国的士兵，大喝一声："口令？"

牛牛没有思想准备，张嘴就答："七七必胜，八八必败！"

"什么？"两个八八王国的士兵端着枪走了过来。小

七副官见牛牛说走了嘴，赶紧纠正说：“七七必败，八八必胜！”

两个士兵又问，“是机器人吗？”

“是。”

“你们的号码？”

小七副官先回答说：“我是238号。”

牛牛回答：“我是888号。”

两个士兵听说牛牛是888号机器人，立刻立正，齐声呼喊：“向最优秀的机器人888号致敬！”

牛牛看出这两个士兵也是机器人，就问：“你们知道小八司令现在在哪儿吗？”

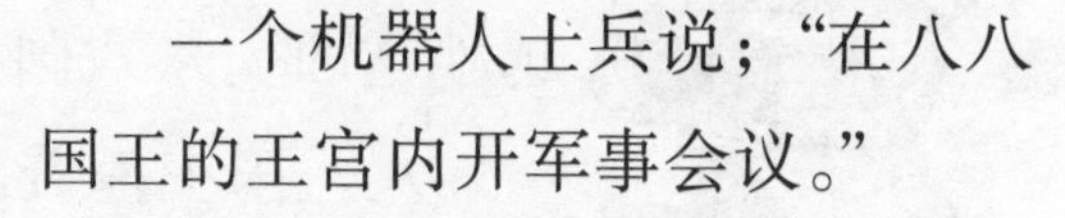

一个机器人士兵说；“在八八国王的王宫内开军事会议。”

牛牛小声对小七副官说：“走，咱俩去看看。”两人一前一后直奔王宫而去。

虽说时间已是午夜12点，八八国王的王宫内却灯火辉煌。王宫内，八八国王、老八将军、小八司令正在争论着什么。牛牛和小七副官装做卫兵，在门口站好。

里边小八司令在大声叫道：“我的机器人部队，所向无敌，百战百胜，一个小小的数学司令有什么可怕？”

老八将军看了小八司令一眼，慢慢地说：“战场上斗智、王宫里比智力，你都败给了人家。你的智力不如人家，光靠几个机器人怎能打胜仗？”

“是啊！老八将军说得有理。”八八国王站起来说，“机器人是人制造的，它们的智力不能和人比。你把最优秀的888号机器人，派去看守数学司令，结果还是让他跑了。”

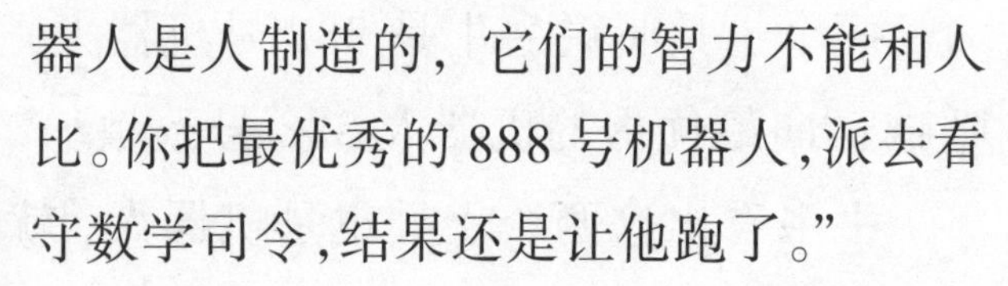

小八司令和老八将军你一句我一句越吵越凶。八八国王劝说几次也没用。

八八国王捶着桌子生气道，“不要再吵了。小八司令把进攻七七王国的计划说一遍。”

“进攻七七王国！”听到这句话时，牛牛和小七副官在门口不约而同地倒吸了一口凉气。

绝密行动

JUEMIXINGDONG

小八司令把脸向上一扬，高傲地说："我这个进攻计划，代号'绝密行动'。这次进攻如果成功，将把七七王国全部占领，小小的数学司令将再一次成为我的俘虏。"

八八国王问："具体怎样进攻？"

小八司令用眼睛向四周看，突然，把目光停留在站在门口的小七副官身上。牛牛和小七副官心里顿时一阵紧张，牛牛暗想，莫非我们的伪装被小八司令认出来了？

牛牛向小七副官使了个眼色，两人悄悄地摸了摸手枪。

小八司令走到小七副官面前，命令道："去给我冲杯咖啡来！"

小七副官两眼发直，机械地回答："是！"转身走了。

小八司令打开一张军事地图说："七七王国三面和咱们相邻，一面靠海。咱们可兵分三路同时进攻，把七七王国的军队逼向海边，如不投降就叫他们灭亡！"说到这里，小八司令狂笑起来。

老八将军在一旁冷冷地问:“三路进攻？你有那么多兵吗？”

“兵？哈、哈。”小八司令说，“我有大批能征善战的机器人士兵！”

“你说说，你到底有多少机器人士兵？”老八将军两眼紧盯着小八司令。

小八司令轻蔑地一笑说:“有多少？我说了，怕你也算不出来。那天夜里，我偷袭七七王国的军营，用了$\frac{11}{37}$的机器人去正面进攻，用余下的$\frac{1}{4}$在旁边策应，还有468个闲着没用。你说说我有多少机器人士兵？”

“这……”老八将军愣住了。

牛牛在门口听了，默默地心算:“设机器人的总数为1,我只要算出他没动用的这468个机器人占总数的几分之几，就可以求出机器人的总数。”

“他先用去总数的$\frac{11}{37}$,剩下$1-\frac{11}{37}=\frac{26}{37}$。又用去$\frac{26}{37}$

的$\frac{1}{4}$,也就是$\frac{26}{37}\times\frac{1}{4}=\frac{13}{74}$,余下$\frac{26}{37}-\frac{13}{74}=\frac{39}{74}$。好了，468名机器人占总数的$\frac{39}{74}$，总数就是$468\div\frac{39}{74}=888$名。”算出这个数，牛牛心中一惊。小八司令的机器人要比我带的士兵多111个。

“哈哈……”一阵狂笑,打断了牛牛的思路。他猛一抬头,只见小八司令指着老八将军说:“连这么个简单问题,你都算不出来！亏你当了那么多年的将军。”

小八司令的几句话,气得老八将军圆瞪双眼,张着大嘴说不出一句话。

正说着,小七副官端咖啡来了。他的一举一动都非常像机器人,牛牛看了直想发笑。

“怎么这么半天才端来？”小八副官见了小七副官有点发怒。

小七副官心平气和地回答:“水不开,我等了一会儿。”他说着,用眼睛偷看摊在桌子上的军用地图。

小七副官等小八司令喝完咖啡,接过杯子又慢慢地走了下去。

小八司令回头又继续讲他的“绝密行动”。他说:“我把我的机器人士兵分成3队,都坐汽车,变成机器人机械化部队。”

八八国王问:“每队有多少名机器人呢？”

小八司令说："第一队30辆汽车，第二队比第一队的二分之一多4辆，第三队比第一队少5辆。"

"噢，你考起我来了！"八八国王似笑非笑地摇摇头说，"我可不怕你考。我先来算算各队有多少辆汽车，第一队有30辆。第二队比第一队的二分之一多4辆，那就是$\frac{1}{2}\times 30+4=15+4=19$辆。第三队比第一队少5辆，有25辆。总共有$30+19+25=74$辆。你一共有多少机器人士兵？"

老八将军说："我算出来啦，共有888名。哼！别以为只有你一个人会数学。"老八将军说完，狠狠地瞪了小八司令一眼。

"好，好。老八将军算出来了。"八八国王说，"$888\div 74=12$，就是说每辆汽车上有12名机器人士兵。这样一来，第一队有$12\times 30=360$名，第二队有228名，第三队有300名。"

"国王算得不错。我要让第一队从正面进攻，第二队从左边进攻，第三队从右边进攻。"小八司令指着地图说。

八八国王问："下一步呢？"

"下一步？"小八司令倒背双手来回踱了几步，突然捶了一下桌子，恶狠狠地说："我的铁骑兵紧跟着从正面冲上去，再让老八将军的两个纵队一左一右往上冲。"他又转身对老八将军说："老将军，有我的机器人给你开路，

你的两个活人纵队是不会受损失的。”

老八将军气冲冲地说了一句：“人家七七王国的指战员也不是傻子！我看数学司令回七七王国后，也会有新的策略。”

“手下败将，不值一提。”小八司令一挥手，盛气凌人地说。

八八国王怕两个人吵起来，赶紧劝阻说：“好了，好了。今天的军事会议就开到这儿，都回去休息吧。”

牛牛和小七副官见会议结束，就悄悄地溜了出来。

一路上，牛牛高兴地对小七副官说：“咱俩真没白来。”

小七副官朝四周望了望，悄悄说：“我刚才去端咖啡时，发现王宫后面有一个专门给机器人充电的充电房。”

“太好了！发现了充电机房，这可太重要了！”牛牛乐得叫了起来。

骑兵部队在哪儿

QIBINGBUDUIZAINAER

在黑暗中走了一阵，小七副官问："咱们回去吗？"

牛牛摇摇头说："不能回去。咱们要把骑兵部队的情况侦察清楚，上次就因为他的骑兵冲乱了我的三角形阵，咱们才吃了亏。"

小七副官点点头说："对，这个问题重要是重要，可是骑兵部队在哪儿呢？"

牛牛说："咱俩到处转转，总能找到骑兵部队。"

小七副官不同意。他说："这里地方很大，咱俩不认路可不成，需要找个人问问。"正说着，听见前面有唱小曲的声音传来。两个人定睛一看，只见一个八八王国的士兵一面哼着小曲，步子踉跄地走来。

牛牛压低声音说："这是个活人士兵，是老八将军的部下。"

"活人士兵是没错，因为机器

人士兵是不会喝酒的。你怎么知道他是老八将军的部下呢？”小七副官有点疑惑。

牛牛解释说：“因为老八将军的部下全是骑兵部队。骑兵都穿高统马靴，你看他穿的不就是。”他说着又凑到小七副官的耳边，嘀咕了几句。两人学着机器人的样子，向这个醉鬼士兵走去。

“站住！口令！”牛牛来了个先发制人。

“口令？”醉鬼士兵说话有点不清楚，他拉长声调说：“口——令——我知道。八八必——败，七七必败——。”

“什么？”牛牛大声问，“八八必败？”

醉鬼说：“我——没说——八八必败。我说的是——八八必——胜。”

牛牛点着醉鬼的鼻子说：“你不遵守军队纪律，偷着喝酒，而且喝醉了！”

“我是喝酒——了，可是没——醉。”

“没醉？”牛牛停了一下，又说，“我出三个问题，如果都能答对，就证明你没醉。否则，我就告诉小八司令去！”

“可别告诉小八司令。我——保证答——对！”醉鬼有点害怕，赶紧整了整衣服站好。

牛牛问：“你弟弟的爱人的公公，你叫他什么？”

“我弟弟爱人的公公？”醉鬼低头琢磨了半天才说，“我叫他爸爸。”

牛牛向小七副官使了个眼色,意思是他还没有完全糊涂。

小七副官又提第二个问题:“我在想一个数,它是 25 的倍数,正和 165 是 15 的倍数相等。你说我想的是什么数?”

“考我算术?这我可不怕。在我们团,数我数学好!”醉鬼边算边说,“165 是 15 的多少倍?是 11 倍呗!25 乘以 11 等于多少?等于 275 呗!”

“我来问你最后一个问题。”牛牛说,“你知道小八司令的骑兵部队在哪儿吗?”

“知道。”这个醉鬼开始清醒了,他说:“你们往东走,走 1000 米就会发现一条河,河里有许多大鳄鱼。”

“哪来的大鳄鱼?”牛牛觉得挺奇怪。

醉鬼说:“都是八八国王养的。你们也许知道,咱们国王最爱养凶禽猛兽。国王养的狮子被机器人 888 号打死了,国王心痛得一夜没睡。”牛牛明白了,他遇到的狮子和狼群都是八八国王养的。

醉鬼又说:“你们用不着害怕鳄鱼,你们机器人身上连点人味都没有,鳄鱼咬你们干什么?过了河向右绕过一个小山头,就到骑兵部队了。”

小七副官伸手摘下这个醉鬼的手枪说:“你喝醉了酒,带着武器很危险,我们暂时替你保管。”说完同牛牛往东

走了。

醉鬼见枪被别人拿走了。在后面喊道:“你们是多少号机器人? 我好向老八将军交待枪的下落。”

“机器人 238 号!”牛牛头也不回,一直往前走。

真危险

ZHENWEIXIAN

牛牛和小七副官向东走了一阵子，果然发现一条河。河水缓缓流着，周围连座桥也没有。

牛牛奇怪地问："有河，怎么没有桥啊？"小七副官朝河面看了一阵，指着对岸，突然说："你看，桥在那儿！"牛牛顺着他指的方向看去，远处果然有一座吊桥，但现在收着，没法走人。

"怎么办？"牛牛挠挠头皮。

"咱俩游过去吧？"小七副官说。

"不行，有大鳄鱼！"牛牛摇摇手。

"说不定醉鬼骗咱俩。"小七副官说着，顺手拾起一块石头向河里扔去，"咚"的一声，只见几条鳄鱼从水里冒出来，向石头扑去。

小七副官吐了吐舌头说："好危险啊！"

这时，对岸闪出一名士兵，拉响枪栓，大声问道："对岸是什么人，敢向河里扔石头？打伤了八八国王的鳄鱼怎么办？"

躲避是来不及了。牛牛只好硬着头皮向前走了两步，大声说："是小八司令叫我们来牵马的。"

"深更半夜牵马干什么？"对岸士兵不耐烦地说："你们是机器人吗？"

"是机器人 238 号。"牛牛回答。

对岸的士兵接着说："按这里的规定，我出道题，你答对了才能让你们过来。"

"多谢了，你出题吧。"牛牛装出无所谓的样子。

士兵说："有一次八八国王说，过几天我把河里的鳄鱼分给三个作战有功的骑兵。拿出其中的一半再加一条分给第一个骑兵；又拿剩下的一半再加一条分给第二个骑兵；把最后所剩下的一半外加三条分给第三个骑兵。这样一分，鳄鱼全分完了。你算算这河里的鳄鱼有多少条？"

小七副官伸了一下舌头说："这道题够难的！"

牛牛说："不难，用倒推法可以解出来。"

"什么叫倒推法？"

"不从第一个骑兵开始算，而是从最后一个骑兵分多少条鳄鱼算起。"

“为什么要这样算？”

“因为第三个骑兵所分的鳄鱼数最好求。”牛牛说，“我这就给你算出来。题目中说‘把最后所剩下的一半外加三条分给第三个骑兵’就全分完了。你说，‘最后所剩下的一半’是多少条？”

小七副官一捂脑袋说：“最后剩下的一半，实际上是3条。”

“对！这样就知道第三个骑兵分到6条鳄鱼。”牛牛讲得很耐心。

对岸士兵有点不耐烦，催促说：“会不会算？会算就快点算！”

牛牛说：“我快点算吧！$(6+1)\times 2=14$是第一个骑兵分走后所剩的鳄鱼条数；$(14+1)\times 2=30$，这30条就是鳄鱼的总的条数。”

牛牛大声说：“一共30条。”

对岸士兵按动电钮，吊桥缓缓放下。谁知放到一半，对岸又出现了一个骑兵军官，他喝令说：“停住！”士兵赶紧按了一下电钮，吊桥在半空不下来了。骑兵军官大声说：“不许往前走！刚才的问题算得太慢，你们不像是机器人。我要再考你一个问题，限你一分钟答出来。答对了，过河；答错了，就扔到河里喂鳄鱼！”

小七副官害怕了，问：“怎么办？”

牛牛胸有成竹地说："别怕，有我数学司令在这儿，你怕什么！"

骑兵军官问："我有100匹马，要放进5个马厩，要求每个马厩中的马数都含有一个5。应该怎样分法？"

牛牛稍一想就说："50、25、15、5、5，按这几个数来分。或者按50、15、15、15、5来分也可以。"

"嗯，够快！是机器人。"骑兵军官回头叫士兵放下吊桥，让牛牛和小七副官过河。

两人到了对岸，冷不防拔出手枪，分头顶住军官和士兵的胸口。牛牛低声喝道："不许动！动一动我就开枪！"

骑兵军官被这突如其来的袭击吓得圆瞪双眼，傻呵呵地站在那里。

牛牛先叫小七副官把守桥的士兵堵上嘴，捆在桥柱子上，然后一起押着骑兵军官往前走。

骑兵军官问："到哪儿去？"

牛牛命令说："带我们到所有马厩走一圈。"

骑兵军官带牛牛走近第一个马厩，牛牛问："这个马厩有多少匹马？"

军官说："这是我管辖的白马连，共有白马40匹。"牛牛探头一看，果然是清一色的白马。

走到第二个马厩，里面全是红马。牛牛问："红马有多少匹？"

军官说："具体多少我不知道。上次和七七王国打完仗，小八司令说，红马是白马的80％还多5匹。"

第三厩里全是黑马，军官说："黑马连上次打完仗又进行了补充，据他们连长说，现在的

黑马数是白马数的 120 %还少 6 匹。”牛牛见只有这三厩马，就把这些数记在心中。

忽然，背后传来一阵嘈杂的声音，就听有人喊：“别让两个假机器人跑了，他们是七七王国派来的间谍。”脚步声越来越近。

“怎么办？”牛牛稍一犹豫，骑兵军官转身一拳打掉牛牛的手枪，接着双手掐住他的脖子。幸好小七副官眼明手快，用手枪柄将骑兵军官打昏，两人拔腿就向吊桥跑去。

吊桥高高悬挂着，原来被捆在桥柱上的守桥士兵，被人家放了，桥边站着四五个士兵。

说时迟，那时快，“啪、啪、啪。”小七副官三枪打倒了三个士兵，其余两个胡乱放了两枪，拔腿就逃。牛牛赶紧冲过去，按动电钮，放下吊桥，和小七副官一起，用尽全身力气，朝一座小林子里逃去。

意外收获

YIWAISHOUHUO

已经是后半夜了，牛牛和小七副官摆脱了追兵，躲进一片小树林里。

小七副官掏出小本说："司令，咱们把侦察的情况记一下，回去好商量对策。

"你说得对！"牛牛说，"咱们基本上摸清了小八司令的'绝密行动'计划。他要从陆地上三面进攻七七王国。"

小七副官接着说："他把888名机器人分成三队，其中360名从正面进攻，228名从左边进攻，300名从右边进攻。"

"对！接着让骑兵从正面跟上，老八将军的两个纵队从左、右跟上。"牛牛也记得一清二楚，"可是，咱们还没把他们的骑兵有多少算出来哪！"

小七副官自告奋勇说，"这次由我来算，好吗？"

"那当然好咯！"牛牛点点头。

小七副官边算边说："白马是40匹，红马是白马数的80％还多5匹。这80％怎么办？"

牛牛说："这里 40 是基数，用基数 40 乘以 80 %，也就是乘以 0.8，再加上 5 匹，就得到红马数了。"

小七副官说："列一个算式就是 $40\times0.8+5=32+5=37$，红马有 37 匹。"

"对！再算黑马有多少？"

"用 40 乘以 120 %，也就是乘以 1.2，再减去 6。$40\times1.2-6=48-6=42$，黑马有 42 匹。$40+37+42=119$ 匹。"小七副官高兴地说，"算出来了，总共 119 匹。"

"有 119 名骑兵，数量真不少啊！"牛牛吐吐舌头，真是一朝被蛇咬，十年怕井绳。他总有点怕小八司令的骑兵。

小七副官忽然想起了一件事，他说："咱们对小八司令的'绝密行动'还有两点不清楚。"

"哪两点？"牛牛问。

"第一，老八将军的两个纵队共有多少人还不清楚；第二，对'绝密行动'何时行动还不知道。"小七副官考虑问题比较细致。

牛牛说:“这两个问题非常重要,咱们一定要侦察清楚!”牛牛决定去找老八将军。

两人刚走出树林,发现月光下有两个士兵抬着一大箱酒走过来,只听一个士兵说:“老八将军一生气就大量喝酒,他喝这顿酒,够咱俩喝一个星期的。”

另一个士兵说:“借酒浇愁愁更愁。自从老八将军被撤去司令职务,小八当上了司令后,老八将军一天笑脸也没有呀!”

“唉,小八司令也太看不起老八将军了。其实,他也是老八将军一手提拔起来的。”

牛牛和小七副官跟在后面,一路偷听。在月光里,牛牛看得清楚,走在前面的士兵矮胖个子;后面的士兵瘦高个子。

这时矮胖士兵说:“从老八将军不当司令起,他每天都比前一天多喝一瓶酒。你能算出这半个月老八将军总共喝了多少瓶酒吗?”

“这个……”瘦高个子想了想说,“你需要告诉我,老八将军原来每天喝几瓶酒。”

“原来老八将军是早上喝1瓶,中午、晚上各喝 2 瓶,每天共喝 5 瓶酒。”

“好吧,我来算。”瘦高个子说,“第一天他多喝一瓶,

就是喝 6 瓶;第二天喝 7 瓶, 6 加 7 得 13 ;第三天喝 8 瓶, 13 加 8 得 21 ……”没一会儿,瘦高个就算糊涂了。

小七副官暗笑着,小声对牛牛说:“司令,这个瘦高个加十几个数,就加糊涂了。你说做这样的加法有没有速算法?”

“有啊!”牛牛说,“当年欧洲的‘数学王子’高斯,在上小学时,曾用一种简单的方法,算出了从 1 加到 100 的和,你知道他用的是什么方法吗?”

小七副官摇摇头。

牛牛小声说:“我从一本课外书上看到,高斯是用第一项加上最后一项,乘以项数,再除以 2 。”也许是牛牛说得太快,小七副官眨着双眼没听明白。

牛牛又进一步解释说:“就拿从 1 加到 100 来说吧。第一项就是 1 ,最后一项就是 100 ,项数也是 100 。这样,从 1 加到 100 所得的和为$\frac{(1+100)\times100}{2}=5050$。”

“噢,这样一算,就可以把几十个、上百个数相加算出来,是个好办法。”小七副官又说,“可是,老八将军第十五天喝多少瓶酒呢?一天加上一瓶, 15 天就加上 15 瓶。对!最后一天老八将军喝了 5 + 15 = 20 瓶酒。”

“你算得对!”牛牛称赞小七副官说。

小七副官说:“$\frac{(6+20)\times15}{2}=195$ 瓶,我的妈呀!半

个月喝了 195 瓶酒，平均每天喝 13 瓶。”

“嘘……”牛牛示意小七副官小声点。

两名士兵抬着酒，走进一个大院子。这里的大门敞开着，守门人看来睡觉去了，牛牛和小七副官跟着抬酒人，大摇大摆进去。

一进大门，就听老八将军在屋里大声喊：“这两个取酒的士兵跑到哪儿玩去了？怎么还不回来？快派人给我去找！”

这时矮胖个子笑嘻嘻地答道：“老八将军别生气，好酒已经抬来了！”

“哈哈……”老八将军一看见酒，怒气全消。他拿出一瓶，打开盖子，一仰脖就“咕咚、咕咚”灌进肚里。牛牛和小七副官站在门口假装成卫兵，透过玻璃窗往里看。

老八将军一连喝了 20 瓶酒，瘦高个在一旁劝说：“老八将军，您就别再喝了。明天上午您还要带领两个步兵纵队攻打七七王国哪！”

“去他的吧！攻打七七王国是小八的事，我——才不给他玩那个——命呢！”老八将军看来是有点醉了。

矮胖个子着急地说：“那可不成啊，现在小八是司令，您要不去攻打七七王国，就是不服从军令，要杀头的！”

“我——也不那么傻！”老八将军又喝了一大口酒，说：“明天我把两个步兵纵队的老弱残兵全带着，把精兵强将他们都留下。”

矮胖个子说：“您说说一共有多少老弱残兵？带少了小八司令会答应吗？”

老八将军说：“你替我算算。上一次，两个纵队合在一起操练，所有的老弱残兵都合在一起。练习爆破，我从他们当中调走总数的$\frac{1}{3}$还少 4 个人；练习过独木桥，我从余下的人中又调走$\frac{2}{5}$还多 6 个人，最后剩下 30 个连跑都跑不动的老头兵。你们算算，有多少老弱残兵？”

矮胖个子笑着说：“这么难的问题，我哪里会算啊！”

“我来试试。”瘦高个子自告奋勇说：“设总数为x。第一次您调走了$\frac{x}{3}-4$，第二次调走$\frac{2}{5}[x-(\frac{1}{3}x-4)]+6$，最后还剩下 30 人。可以列出个方程式：

$$(\frac{x}{3}-4)+\{\frac{2}{5}[x-(\frac{x}{3}-4)]+6\}+30=x,$$

$$\frac{6}{15}x=\frac{168}{5},$$

$x = 84$（人）。

共有84名老弱残兵。”

矮胖个子跷起大拇指说：“好样的！还会列方程。”

老八将军拍着瘦高个子的肩头夸奖：“真不愧是咱们步兵纵队的数学家呀！”

矮胖个子说：“您带84个士兵，也太少了！”

“不要紧。”老八将军满有把握地说，“没关系，我再把做饭的、扫地的、理发的全带上，也能凑个一二百人哪！哈哈……”

牛牛和小七副官高兴地互相点了点头，赶紧退了出去。

牛牛说：“咱俩快回去吧，明天小八司令的‘绝密行动’就要开始了。”

小七副官说：“离天亮还有一会儿，咱俩先把充电机房破坏掉，机器人没电，我看它们怎样逞威风。”

“好主意！”两个人跑到充电机房，打倒了卫兵，进去后把里面的设备都砸坏了。

兵来将挡

BINGLAIJIANGDANG

牛牛和小七副官砸坏了八八王国的机器人充电房，平安回到了七七王国，向国王禀报侦察结果。

七七国王听说天一亮八八王国就要来进攻，觉得局势十分危急，立即传令文武百官到王宫开会。

不一会，众大臣齐集。七七国王把牛司令和小七副官昨夜侦察到的情况说了一遍后，胖胖的公安部长接着说："我们用不着怕八八王国的进犯。'兵来将挡，水来土掩'咱们有才智过人的数学司令，有威力无穷的圆形阵，还怕打不赢他们！"

"话可不能这样说。"教育大臣眏了一下眼睛说，"牛司令已经是人家的手下败将，这次虽操练了圆形阵式，可是一仗未打，威力如何，还不好说，我看这次八八王国来进犯，咱们是凶多吉少啊！"

教育大臣的话激起许多人的反对，一时大臣分成了两派，一派同意公安部长的观点；一派赞同教育大臣的说法，顿时你一言我一语，吵得不可开交。

“好了，好了。”七七国王站起来说，“不要吵了，大敌当前，吵有什么用？还是听听牛司令的高见吧！”

牛牛正在沉思，没有听见国王的话。

七七国王见牛牛不回答，着急地问：“我的司令，你倒是说话呀！你真叫小八司令打怕了？”

“国王，我在考虑如何迎敌。”牛牛上前一步说，“敌人分三路进攻，重点放在中路。我们也必须兵分三路，来个兵来将挡。”

“好！有气派！”七七国王赞扬说。

牛牛问：“陛下，除去给我补足的 777 名士兵外，你还能凑出多少？”

“哎呀！没有了，没有了，再要我给会放枪的，就只有公安部长手下的警察和我的皇家卫队了。”七七国王说着，回头问公安部长：“你有多少警察？”

“这个……”公安部长摸了摸秃脑袋说，“具体多少，我也说不清，只知道警察食堂共有165只碗，吃饭时，每人用一只饭碗，每两人用一只菜碗，每三人用一只汤碗。嘿，不多不少正合适。”

七七国王不满意地看了公安部长一眼，然后对牛牛说：“请司令帮忙给算算。”

牛牛真有点哭笑不得，用饭碗算人数！牛牛说：“设警察总数为1，这样用来吃饭的碗数也为1，而菜碗为$\frac{1}{2}$，汤碗为$\frac{1}{3}$。用总碗数除以这些份数之和，就求出了警察总数：

$$165\div(1+\frac{1}{2}+\frac{1}{3})$$

$$=165\div\frac{11}{6}=90(\text{人})\text{。”}$$

公安部长点点头说：“对，是90人，我想起来了。”

牛牛又问七七国王：“你的皇家卫队有多少人？”

七七国王支支吾吾地说：“这……要问我的卫队长。”皇家卫队长仪表堂堂，迈着正步过来。

七七国王问：“卫队长，我的皇家卫队共有多少人啊？”

“这个……”卫队长搔搔耳朵说，“具体有多少人，我一时还说不清。只知道我昨天让一半人保卫王宫，四分之一外出训练，还有八分之一不知道哪里去了，营房里只剩下11名士兵。”

牛牛心想，这些七七王国的官员，怎么连一个识数的也没有呢？牛牛说："我来算吧，设皇家卫队的总人数为 1，剩下的 11 人占总数的几分之几呢？用 1 减去$\frac{1}{2}$、减去$\frac{1}{4}$、再减去$\frac{1}{8}$，即 $1-\frac{1}{2}-\frac{1}{4}-\frac{1}{8}$。

$$11\div\left(1-\frac{1}{2}-\frac{1}{4}-\frac{1}{8}\right)$$

$$=11\div\frac{1}{8}=88（人）。"$$

牛牛算完对国王说："我带领 777 名正规军防守中路，公安部长带领 90 名警察防守左路，卫队长带领 88 名卫兵防守右路。你俩只防不攻，等我打败了中路的敌人，再和你们汇合。"公安部长和卫队长向牛牛行了个军礼，高喊"遵命！"而去。

七七国王见一切安排妥当，朝众人威严地扫了一眼，大声说："准备战斗！"

初显神威

CHUXIANSHENWEI

东方刚刚露出一点鱼肚白，八八王国的进攻就开始了。30 辆军车开到了阵前，360 名机器人跳下车迅速排成 15 人一排，24 排的长方形队列，端着枪冲上来。

由 768 人组成的圆形阵早已排好，但是牛牛并不急于把圆形阵拉出去，而是用炮火阻拦机器人前进。他计划把机器人拖住，拖延时间，消耗它们的电能。只要它们身上的电用没了，这 360 名机器人就成了一堆废铁！

这时，小八司令骑着马在后面拼命催促机器人进攻。可是攻了半天，没起作用。小八司令看看不行，急忙高举令旗，把机器人撤了下来，换了 119 名骑兵冲了上去。瞬间一队白马、一队红马、一队黑马像风一样往上冲，人喊马叫，刀光闪闪，叫人看了心寒。

小七副官对牛牛说："司令，该把圆形阵亮出来啦！"

牛牛高举令旗，大喊一声："出击！"顿时圆形阵像一个大车轮似的滚滚上前。八八王国的骑兵没见过这种阵式，立刻停止了攻击。

小八司令见状，立即催马加入自己的骑兵部队，使骑兵总数凑成120人。他把骑兵分成60人一队。从东西两面进攻。两支骑兵队猛烈冲击圆形阵，可是圆形阵在不停地转动，七七王国的这768名士兵轮换阻击骑兵部队的进攻。

小八司令看看攻不下来，又挥动令旗，把120人分成40人一队的3个分队，从3个方面向圆形阵进攻，可还是攻不下来。小八司令无可奈何，只得又把120人分成4队、5队、6队、8队、10队、12队、15队、30队……用以连续变换进攻，可是不管小八司令把骑兵变成多少队，圆形阵却纹丝不动。经过十几次轮番冲锋，八八王国的骑兵不断败下阵来。

牛牛取得第一场战斗的胜利！

小八司令吃了败仗，赶紧逃回王宫，找八八国王商量对策。八八国王也没见过圆形阵，一时也不知如何才好。正在这时，从左路和右路进攻的士兵也败了下来，老八将军手里提着冲锋枪，满头大汗奔进来，大声喊道："国王陛下……国王陛下……这数学司令可真厉害！他的大车轮阵这么一转，就把我们给转败了。"

小八司令一肚子气正没地方出，看见老八将军那副狼狈相，圆瞪着眼珠对他吼："你还好意思说哪！你看看你带的都是些什么兵？老头兵，娃娃兵，缺胳臂的，断腿的。这还能不吃败仗吗？”

老八将军也不示弱，回敬道：“你说左、右两路都是老弱病残，可你的中路兵强马壮，怎么也叫人家打得屁滚尿流呢？”

八八国王连连摆手说：“不要争吵，我有办法攻破圆形阵啦！”

小八司令圆瞪双眼，着急地问：“什么好办法？”

你变我也变

NIBIANWOYEBIAN

八八国王顿了顿问老八将军："七七王国的圆形阵直径有多大？"

"这……这……"老八将军在一旁结结巴巴答不上来。小八司令年轻，脑子快，抢着回答："大概有100米吧。"

"好！"八八国王把拳头往桌子上一擂说，"必须把这个圆形阵给它切开。"

小八司令说："我切过，可是切不开呀！这个圆形阵不断转动，无法全力以赴，攻击它某个固定的地方。"

"你们过来。"八八国王打开军事地图说，"离战场不远有一个山口，这个山口只有20米宽，30米长。你们算算，按横排每两个士兵间隔一米，排与排之间的距离也是一米来计算，这个山口可以容纳多少士兵？"

老八将军抹了把头上的汗说："这个好算。两个士兵间隔一米，山口宽20米，这样横排可以允许20名士兵通过。山口长30米，每排间隔一米，可以容纳30排。$20 \times 30 = 600$（人），最多可以容纳600人。"

老八将军刚刚算完，小八司令在一旁连连摇头说："不对，不对。你老将军连种树都不会，还统领什么军队啊！"老八将军刚要发火，八八国王给拦住了。

八八国王说："10米长的一条街，间隔1米种1棵树，就可以种11棵，11棵树有10个空档嘛。这样算来，山口可以容纳21 × 31 = 651（人）。"

小八司令问："算这个有什么用？"

"嘿嘿，"八八国王干笑了两声说，"这你就不懂了。我们部队假装败逃，往山口方向退，七七王国这个大圆阵，是不能整个滚过山口的。到时候他必须要改变成长方形队往山口里追，我们趁机下手，还怕打不垮他们！"

小八司令和老八将军同时跷起大拇指，称赞说："国王高见！国王高见！"

开罢宫廷会议，小八司令再次领着骑兵冲到阵前。两军刚交锋一阵子，小八司令大喊一声："撤退！"领着骑兵向山口撤去。

圆形阵紧追不舍，追到山口，停了下来。

小七副官奔到牛牛面前报告说："山口太窄，圆形阵过不去。"

牛牛觉得事情蹊跷，便亲自测量了山口的长和宽，心算了一下，回头对小七副官说："我想把这个大圆阵化成几个小圆阵，小圆阵的直径不超过 20 米，半径的条数仍然是 16 条。你说咱们这 777 名士兵能排出几个小圆阵？"

小七副官说："如果每个士兵相距一米。选半径为 10 米，一个小圆阵就由 $10 \times 16 = 160$ 人组成，$777 \div 160 = 4 \cdots\cdots 137$。这样能组成 4 个小圆阵，还余下 137 名士兵。"

"不成，这样排，多余的士兵太多了。"牛牛说："按半径上站 9 个士兵来算呢？"

小七副官说："$9 \times 16 = 144$，$777 \div 144 = 5 \cdots\cdots 57$，可以排 5 个小圆阵，余下 57 名士兵。"

牛牛点点头说："这就比排 4 个小圆阵强。再试试半径上站 8 名士兵。"小七副官又先做乘法，后做除法，$8 \times 16 = 128$，$777 \div 128 = 6 \cdots\cdots 9$。小七副官高兴地说："啊！可以排 6 个小圆阵，只多余出 9 个士兵。我再试试半径上站 7 个士兵。"他说着又做了一次 7

$\times 16 = 112$，$777 \div 112 = 6 \cdots\cdots 105$。做完他连连摇头说:“站 7 个人不好,这样会余出 105 人。”

牛牛决定把大圆阵化成 6 个小圆阵，每个小圆阵仍由 16 条半径组成，每条半径上站 8 名士兵，圆心处再站一名排长,这样每个小圆阵有 129 个人,6 个小圆阵总共容纳了 774 名士兵。

却说这时小八司令正带了部队埋伏在山口,等候牛牛的部队来进攻,谁知攻上来的,并不是长方形的队列,而是六个转动着的小圆阵。这些小圆阵不断旋转，来势很凶。小八司令几次率领骑兵进攻，都败下阵来。他看看情况不妙,急忙挥旗收兵,逃回王宫汇报军情去了。

高挂免战牌

GAOGUAMIANZHANPAI

小八司令快马加鞭，一口气跑回王宫。这时老八将军也撤了回来，正在挨国王的训呢！

小八司令报告说："进攻中路的 360 名机器人损失 18 名，119 名骑兵损失了 53 名。"

"可不少啊！"八八国王摇摇头说，"你给我算算损失的百分比。"

"是！"小八司令口算，"$18 \div 360 = 0.05 = 5\%$，$53 \div 119 = 0.445 = 44\%$。"

老八将军在一旁说："司令，你算得不对吧？0.445 应该近似取为 45%，你别忘了'四舍五入'啊！"老八将军的几句话气得小八司令无法回答。

八八国王又回过头问老八将军："两个边路的损失大吗？"

老八将军哭丧着脸说："边路损失也很大，几乎全军覆没呀！"

"啊！"小八司令大吃一惊，忙问，"机器人士兵损失

了多少？”

老八将军眼珠一转，心想，上次开军事会议你存心出难题考我，让我当众出丑。今天，我也难为难为你，便慢吞吞地说：“我的第一纵队、第二纵队和你的机器人一共损失了 100 人，用第一纵队损失的人数除以第二纵队损失的人数，或用机器人损失的人数除以第一纵队损失的人数，所得的商都是 5 余 1 。你自己算算各损失多少人吧！”

老八将军像背绕口令般地说着，听得小八司令直皱眉头，但又没有办法，只好耐着性子算。他说：“设你的第二纵队损失了x人,那么第一纵队损失的人数为$5x+1$,我的机器人损失人数为$5(5x+1)+1$。它们总数为100,得

$$x+5x+1+5(5x+1)+1=100,$$
$$31x=93,$$
$$x=3。$$

$5x+1=16$,$5(5x+1)+1=81$。"

小八司令看着计算的结果大叫了一声,他咬着牙说:"好啊,老八将军!这损失的100人当中,我的机器人就占81名,而你的第一纵队才损失16人,第二纵队只损失3人。你为什么让我的机器人遭受这么大损失?"

老八将军微微一笑说:"道理很简单。你的机器人冲在前面,这叫做'机器人打先锋'嘛!攻在前面的,损失自然就大!"

小八司令和老八将军正在争辩,只听得一名士兵慌忙跑进来说:"报告小八司令,七七王国的牛司令在外面讨战!"

小八司令一跺脚,低声命令说:"挂出免战牌!"

在外面讨战的牛牛,看见八八王国高挂起免战牌,便下命令说:"撤兵,咱们也回去休息!"

新的阴谋

XINDEYINMOU

小八司令挂出免战牌，并不等于停止再向七七王国进攻。他和八八国王正在绞尽脑汁想办法，策划新的阴谋。

八八国王说："咱们吃了败仗，军队损失不少，看来硬拼是不成了。"

"难道我们就不进攻七七王国了吗？"小八司令还不甘心。

"不，不。"八八国王摇摇头说，"你想想，七七王国的圆形阵由谁操练？由谁指挥？"

小八司令说："当然是他们的数学司令——牛牛喽！"

"对！只要咱们把牛牛制住，他们的整个军队还有不乱之理？"八八国王又在小八司令耳朵旁小声嘀咕了几句。小八司令高兴地说："好主意！"两个人哈哈大笑。

却说牛牛回到营寨，刚吃过早饭，忽听八八王国阵地中炮声隆隆。他用望远镜一看，八八王国已经摘下免战牌。阵地上站着八八国王、小八司令和老八将军，还有许多士兵。牛牛跳上马背，带了小七副官、公安部长和皇家卫队长迎了出去。

八八国王看见牛牛过来，笑着说："数学司令，我的老朋友。你训练的圆形阵非常厉害，只一个回合就把我们的小八司令打得损兵折将。我劝小八司令不要再打了，可是他不服气，他说做一名出色的司令，不仅要数学好，还要枪法好，会骑马，能驶船，善于随机应变。他要在这方面和你比试一下，你敢吗？"

牛牛有些为难，知道自己的枪法和骑术不如小八司令，可是不比他们又不会答应。牛牛问："如果我赢了怎么办？"

八八国王说："你赢了，我们立刻撤军，八八王国永不侵犯七七王国！"

牛牛又问："如果我输了怎么办呢？"

小八司令冲上前，两眼一瞪，恶狠狠地说："你们七七王国就向我们八八王国投降！"

牛牛听了小八司令的话，气得伸出小手指连连说："比就比，谁怕是这个！"

“好，好。”八八国王在一旁拍手说，“咱们一言为定，说话可要算数！”

比赛开始，小八司令拍马来到阵前，把牛牛请到小河边。河边有一匹马，河里有一条船。小八司令说：“沿着河走，在前面的一棵树上挂着一个盒子，里面装着一颗宝珠，谁先到谁就可以得到它。去的方法可以乘船，也可以骑马。如果骑马去取，在全路程的$\frac{2}{3}$处立有一块红牌，见到红牌要下马改为步行。”

牛牛问：“船的速度和马的速度各是多少？”

小八司令说：“马的速度是船的速度的3倍，步行的速度是船的速度的$\frac{2}{5}$，骑马还是乘船任你挑选。”

牛牛心想，我需要先计算一下，然后再决定是骑马还是乘船。要算什么呢？算一下不管是骑马还是乘船，从这儿到挂盒子的树，谁用的时间短，谁就先拿到宝珠。路程不知道，可以设这段路程为1；速度也不知道，可以设船的速度为1，这时骑马的速度为3，步行的速度为$\frac{2}{5}$。这样一来，乘船的时间可以由公式：

$$时间=\frac{路程}{速度}$$

来计算：

$$乘船所用时间=\frac{1}{1}=1。$$

骑马走了全路程的$\frac{2}{3}$，所用时间$=\frac{\frac{2}{3}}{3}=\frac{2}{9}$，

步行走了全路程的$\frac{1}{3}$，所用时间$=\frac{\frac{1}{3}}{\frac{2}{5}}=\frac{5}{6}$，

这样，骑马去取宝珠所用的时间，等于骑马所用时间与步行所用时间之和，即$\frac{2}{9}+\frac{5}{6}=\frac{19}{18}$。因为$\frac{19}{18}>1$，所以乘船快。

牛牛心里有底了，转身对小八司令说："我决定乘船去取宝珠。"说罢跳上了船。小八司令跨上马。八八国王一声令下，牛牛驾船，小八司令骑马，向同一个方向而去。

牛牛驾着船快速往前行，心想这颗宝珠我是一定先拿到手了。谁想，牛牛还没到，只见小八司令手捧盒子笑嘻嘻地回来了。

小八司令拿着宝珠一晃说："数学司令，宝珠在这儿，这次我胜了！"

牛牛指着小八司令愤怒地说："你一定搞鬼了。我计算过，应该我先取到宝珠！"

小八司令笑嘻嘻地说："不管你怎样算，反正宝珠在我手里，你是输定了！"

牛牛正纳闷儿，只见小七副官骑着马，飞也似地赶来。小七副官说："骗人，完全是骗人，我骑着马远远跟着小八

司令，见他到了红牌处也不下马，又骑马走了很长一段路，才改成步行的。”

牛牛问小八司令说：“这究竟是怎么回事？”

“这个……”小八司令瞠目结舌，一时不知说什么好。

“误会、误会。”八八国王跑来给小八司令解围。他说：“小七副官是七七王国的人，他出来作证，恐怕不大合适吧？我看取宝珠这场比赛就算了，就算赛个平手。你们再进行下一项吧！”

“哼！”牛牛最看不起别人弄虚做假。心想，这下我可要留个心眼。他小声向小七副官嘀咕了几句，小七副官点了点头，上马走了。

牛牛转身问：“下一项比试什么？”

“比试枪法，看谁的枪法准！”小八司令信心满满地说。

“好，比就比，咋个比法？”牛牛摸摸腰间的手枪说。

“每人打四枪，这四枪的中

的环数加起来要正好是 100，否则就算是输。”

“那容易，”牛牛不屑一顾地仰起头，问，“谁先打？”

“当然是贵司令先打罗。”小八司令狡黠地扬扬手。

“好吧。”牛牛叫士兵在 100 米处放上一只靶子，然后拔出手枪，闭上一只眼睛，“啪，啪……”连发 4 枪，子弹分别打中 19、21、29、31 环，加起来正好 100 环。瞬间，七七王国的士兵们发出一阵欢呼声。

接着轮到小八司令上场了。他掏出手枪，第一枪打了 37 环，第二枪打了 21 环，第三枪又打了 21 环。牛牛心里明白“37 + 21 + 21 + 21 = 100”，小八司令如果再打中一个 21 环，也正好是 100 环。

大家正在等待小八司令打最后一枪。冷不防小八司令掉过枪口对准了牛牛。小七副官见状不好，蓦地向牛牛扑去。说时迟，那时快，小八司令枪响，正击中了小七副官的手臂。牛牛吃了一惊，连忙叫士兵把小七副官扶下去包扎伤口，自己则挥动令旗，指挥士兵们冲锋。霎时两军交战，一片混乱。

最后辞别 ZUIHOUCIBIE

却说八八王国的士兵见自己的司令做亏心事，有些心虚。而七七王国的士兵看到自己的小七副官无辜受了伤，顿时怒气冲天，他们呐喊着，把八八王国的士兵杀得落花流水。八八国王一看形势不好，带了小八司令就逃。八八王国的士兵们看见自己的国王和司令败退了，也跟着抱头逃命，乱成一团。

单说七七王国打了个大胜仗，牛司令带着士兵班师回朝，七七国王特地备了宴席，为大伙儿庆功。

大家吃得正高兴的时候，只见一个士兵拿着一封信跑了进来，向七七国王报告说："这是八八国王给陛下的亲笔信。"

七七国王拆开信，从头到尾念了两遍，对众人说："八八国王来信，愿意停止战争，要求与我们会谈。"

大臣们议论纷纷，有的说，八八王国打了败仗，只好和谈认输；有的说，这是八八国王搞的缓兵之计。

牛牛问："我们两国有哪些人参加会谈？"

七七国王朝左右扫了一眼，干咳一声说："咱们这方有你——数学司令，小七副官；他们有小八司令和老八将军。牛司令，你说咱们去还是不去？"

"去！"牛牛态度很坚决，他又问："会谈的时间和地点呢？"

七七国王说："信上是这样写的：请于今日上午x时，在两国边界的y山头上，只许带z名士兵来谈判。其中x、y、z的乘积等于1001。你说这不是存心刁难人吗？"

教育大臣生气地说："会谈的地点和时间不讲明白，咱们就不去。"

牛牛摇摇头说："咱们不去，人家要笑话咱是算不出x、y、z才不去的。"

教育大臣为难地说："可是，这x、y、z咋个算法呀？"

"既然x、y、z的乘积等于1001，咱们可以先把1001分解成质因数乘积的形式。"牛牛具体分解了一下：

$$1001 = 7 \times 11 \times 13$$

牛牛边算边问:“边界上有几座山头?”

小七副官说:“一共有 10 座山头。”

“好了,算出来了。在今天上午 11 时,到第七个山头参加会谈,只许带 13 名卫兵。”

教育大臣不解地问:“请教司令,您是怎么算出来的?”

牛牛解释说:“1001 只能分解成 7、11、13 这三个质数的连乘积。因为山头总共才 10 个,所以必是第七个山头;剩下的13就是卫兵的数字了。”

七七国王一看手表,已经是 9 时半了。他叫大家快点把东西吃完,尔后率了牛牛、小七副官等一行人,向第七个山头赶去。

几乎是同一时间,八八国王带了小八司令和老八将军等人也来了,大家在山顶上的一张小石桌前坐定,各自的卫兵站在后面,气氛十分紧张。

沉默了一会,八八国王拿出一卷纸,递给七七国王说:“为了永保两国边界和平,我们提出了一个划分边界的方案,请阁下过目,看看合不合适?”

七七国王接过方案一看,上面写的第一条是,关于边界的 10 个山头的划分:

“七七王国分得山头数的 50%,比八八王国分得山头数的$\frac{1}{6}$还多一个山头。”

“嗯?”七七国王捧着纸,对牛司令盯了一眼。

牛司令上前一步说："我来算！"说罢，自言自语道："设我们分得的山头数为 x 个，他们就分得 $10-x$ 个。50 % 也就是 $\frac{1}{2}$，我们的 50 % 比你们的 $\frac{1}{6}$ 还多一个山头，可列出个方程

$$\frac{1}{2}x-\frac{1}{6}(10-x)=1,$$

$$\frac{1}{2}x+\frac{1}{6}x-\frac{5}{3}=1,$$

$$\frac{4}{6}x=1+\frac{5}{3},$$

$$4x=16$$

$$x=4。$$

按你的方案，你们分 6 个山头，我们分 4 个山头。为什么你们要比我们多分 2 个山头？"

"不干！"七七国王生气地说，"一国 5 个山头，少一个也不干！"

"好，好！每国 5 个山头。"八八国王见第一条没有骗住七七国王，就答应了。

七七国王看第二条，关于两国裁军办法：

"把七七王国的军队裁减下 $\frac{2}{7}$ 给八八王国，这时八八王国的军队人数恰好是裁减后的七七王国军队人数的 2 倍。包括七七王国裁减给八八王国士兵数在内，八八王国裁减 $\frac{2}{6}$ 的士兵。"

七七国王指着条文说：“你这不是存心绕人玩吗？”

八八国王说：“你裁减$\frac{2}{7}$，我裁减$\frac{2}{6}$，我裁减的比你多！”

“谁多谁少，要算完了再看！”牛司令边说边算，“我们共有777名士兵，裁减下$\frac{2}{7}$就是222人，还剩555人。把这222人给你们，你们的士兵数就是555人的2倍，也就是1110人。”

“我们裁减下的士兵为什么给你？”七七国王很生气。

牛司令继续说：“1110人裁减$\frac{2}{6}$，是370人，减去七七王国的士兵222人，你只裁减148人。你的士兵数是$1110-222=888$人，你实际只裁减了$\frac{148}{888}=\frac{1}{6}$，比我们少多了！”

“哼！既然没有诚意，咱们还是接着打吧！”七七国王说完站起来就要走。

八八国王听说要把圆形阵拉出来，可吓坏了，赶紧拦住七七国王说：“我也把888名士兵裁减掉$\frac{2}{7}$。”

两位国王在和约上签字，保证两国和平共处，永不打仗。

七七国王签完和约，准备开庆功会，可是发现牛牛不

见了。他正焦急，只见一位卫兵送来了一封信。国王打开信一看，只见上面写道：

尊敬的七七国王：

亲爱的小七副官：

我来七七王国有好些日子了。你们让我当数学司令，其实我还是个小学生，数学学得很不好。尤其在实际使用中，我更觉得自己的知识不够用，为此我决心仍然回到学校去踏踏实实地学习数学，同时学好其他课程。

这段时间，在和八八国王、小八司令打交道的过程中，使我懂得一个人从小要树立好的道德品质，不欺负别人，不贪人家便宜，长大做一个有益于人民的人。

再见了！

牛牛

“数学司令走啦，呜呜……”七七国王看完信，张开大嘴哭了起来，小七副官哭得更伤心。他对国王说：“我去追司令！”

七七国王拦阻说：“不追啦！让咱们的数学司令多学点知识，将来再回来当司令！”说着，七七国王拉着小七副官爬上王宫的最高层，目送牛牛的背影消失在远处。

图书在版编目(CIP)数据

彩图版数学司令/李毓佩著.—武汉：湖北少年儿童出版社,2009.3
（李毓佩数学故事系列）
ISBN 978-7-5353-4413-7

Ⅰ.彩…　Ⅱ.李…　Ⅲ数学—少年读物　Ⅳ.01-49

中国版本图书馆CIP数据核字（2009）第028633号

书　　名：数学司令
主　　编：李毓佩
出版发行：湖北少年儿童出版社
业务电话：027-87679199　027-87679179
网　　址：http://www.hbcp.com.cn
电子邮件：hbcp@vip.sina.com
承 印 厂：武汉福海桑田印务有限责任公司
经　　销：新华书店湖北发行所
印　　数：218 001-226 000
印　　张：5
印　　次：2009年3月第1版　2018年7月第17次印刷
规　　格：880×1230mm　1/32
书　　号：ISBN 978-7-5353-4413-7
定　　价：14.80元